LES CANONS DES
CONCILES MÉROVINGIENS
(VIe-VIIe SIÈCLES)

SOURCES CHRÉTIENNES

N° 354

LES CANONS DES CONCILES MÉROVINGIENS (VIᵉ-VIIᵉ SIÈCLES)

TEXTE LATIN DE L'ÉDITION C. DE CLERCQ.
INTRODUCTION, TRADUCTION ET NOTES

Tome II

PAR

Jean GAUDEMET
Professeur honoraire à l'Université de Droit,
d'Économie et de Sciences sociales de Paris
Directeur d'études à l'École Pratique des Hautes Études

ET

Brigitte BASDEVANT
Maître de Conférences
à l'Université de Paris-Sud

Ouvrage publié avec le concours du
Centre National des Lettres et de Gerland-Industrie

LES ÉDITIONS DU CERF, 29, bd de Latour-Maubourg, Paris 7ᵉ
1989

L'édition de cet ouvrage a été préparée
avec le concours de l'Institut des « Sources Chrétiennes »
(U.A. 993 du Centre National de la Recherche Scientifique)

© Les Éditions du Cerf, 1989
ISBN : 2-204-03185-2
ISSN : 0750-1978

Liste des conciles retenus

CONCILE DE TOURS II [1]
(18 novembre 567)

Convoqué avec le consentement du roi Caribert, l'assemblée se réunit dans la basilique Saint-Martin. Les vingt-huit canons de ce concile (Tours II) sont pour la plupart d'une longueur exceptionnelle, d'un style particulièrement lourd, chargé de répétitions et de longues citations, surtout bibliques.

Les dispositions de fond sont banales et pourraient être résumées en quelques lignes. Certaines règles liturgiques sont rappelées ou précisées (c. 3, 4, 18, 19, 23 et 24). Quelques canons concernent la vie monastique (c. 15, 16, 17). Le statut des évêques fait l'objet de nombreux canons, qu'il s'agisse des conditions d'ordination (c. 9), des relations avec les femmes (c. 13 et 14), des compétences à l'intérieur des diocèses (c. 6, 7, 8, 12), ou de l'interdiction d'exiger des « gratifications » pour ordonner un clerc (c. 28). L'obligation de chasteté est répétée et de nombreuses dispositions tendent à en assurer le respect (c. 10, 11, 15, 20, 21). Le patrimoine ecclésiastique doit être protégé (c. 25 et 26).

Ce synode, le moins nombreux de cette période, ne rassembla que neuf évêques, ceux de Tours, Rouen, Paris, Nantes, Chartres, Angers, Rennes, Le Mans et Sées.

Maassen et De Clercq ont joint à leur édition du concile une *Epistula ad plebem* signée du métropolitain

---

1. Cf. CEILLIER, XI, p. 887 ; HEFELE-LECLERCQ, III[1], p. 185 ; DE CLERCQ, *Législation*, p. 41 ; L. PIÉTRI, *La ville de Tours du IVe au VIe siècle*, Paris 1983.

et de trois des évêques présents à Tours, que nous reproduisons également.

TRANSMISSION : Les canonistes furent-ils rebutés par la longueur des canons, ou par le peu de dispositions nouvelles du concile ? Toujours est-il que ses actes ne figurent que dans un petit nombre de collections, celles de Lorsch, Saint-Amand et Beauvais.

DESTINÉE ULTÉRIEURE : Les collections canoniques ultérieures ne firent pas à ce concile un plus large accueil. La *Vetus Gallica*, la collection de Novare, l'*Epitome Hispanico* et le Décret de Gratien l'ignorent. La collection de Bonneval lui emprunte les canons 8, 16, 21 et 27. Benoît le Lévite reprend les canons 4, 16, 20, 25, 26 et 27, tandis que les Décrets de Burchard et d'Yves de Chartres utilisent les canons 4 et 27.

CONCILIVM TVRONENSE
567. Nou. 18.

INCIPIVNT CANONES TVRONICAE

Ecclesiasticae disciplinae debet esse suffragium congregatio sacerdotum nec aliud suae sollicitudinis tam peculiare conscribere, quam id, quod ad fundamentum religionis pro culmine per Dominum recognouerit, operari non cesset, ut, cum pastoralis cautela propagatur in ouilis custodia, paucorum ueneranda decreta sint salutis publicae documenta. Et quoniam, quod omitti non decet, oportet implere, praesertim cum ad salutem animarum intellectualium, de quibus Deo cura est, in cuius traditione ad pontifices lex manauit, forma processit : necesse est uigilantissime prouidere repulso torpore, ut, quidquid ab antiquis patribus statutum de tramite canonico quarundam personarum temeritate cernitur imminutum, reuocandum in statum pristinum possint admissa corrigi et non admittenda damnari. Magna est enim in ipsa seueritate pietas, per quam tollitur peccandi facultas ; nam ubi insana libertas generat uulnera, sacerdotalis districtio dat medelam.

Quapropter Christo auspice in Turonica ciuitate consilio concordante iuxta coniuentiam gloriosissimi domni Chariberthi regis adnuentis coadunati pro pace et instructione ecclesiae opportunum credidimus subter annexa decreta conficere et subscriptionibus propriis roborare, ut retundantur noxia, propagentur optata, ne taciturnitate silentii uiciosorum criminum nutriti uideretur licen-

CONCILE DE TOURS
18 novembre 567

ICI COMMENCENT LES CANONS DE TOURS

Le collège des évêques doit être le soutien de la discipline ecclésiastique, et sans cesse sa seule sollicitude doit être à la fois de consigner par écrit ce qui est notable et de mettre en œuvre ce que, grâce au Seigneur, il reconnaît comme fondamental pour l'honneur de la religion : ainsi, tandis que la prudence des pasteurs s'étend à la garde du troupeau, les décrets vénérables promulgués par quelques-uns servent d'instruction au salut de tous. Et puisqu'il importe d'accomplir ce qu'il est indécent d'omettre, surtout lorsque, pour le salut des âmes spirituelles, le modèle nous a été donné — c'est Dieu qui en a le souci, lui par le don de qui la loi a été confiée aux pontifes —, il est nécessaire de pourvoir avec toute vigilance, en écartant toute paresse, à ce que tout ce que nous voyons établi par les Pères, mais amoindri par l'insolence de certaines gens, en ce qui touche à la conduite canonique, soit rappelé à son état premier par la correction des fautes et la condamnation des abus. Grande est en effet la miséricorde au sein de la sévérité même, puisque par celle-ci est ôtée la faculté de pécher : là où une liberté malsaine engendre les plaies, la sanction de l'évêque procure le remède.

Voilà pourquoi, réunis par la faveur du Christ en la cité de Tours, en un plein accord, avec l'assentiment de notre très glorieux seigneur le roi Caribert, nous avons jugé opportun pour la paix et l'instruction de l'Église de rédiger les décrets ci-dessous et de les confirmer de nos propres souscriptions : qu'ainsi soit repoussé ce qui nuit, accru ce qui est souhaitable, pour qu'on ne voie pas, à la faveur du mutisme et du silence, la licence des crimes

tia, non abscidi, et, quae opportuna erant pro qualitate
temporis adici, non paterentur neglegi, sed procurarentur
impleri.

1. Placuit itaque sancto concilio interposita uirtute
domni Martini in sancta basilica conscribi, ut bis ad
synodum annis singulis metropolis et comprouinciales sui
in loco, quo deliberatio metropolis elegerit, Deo propitiante conueniant aut, si necessitas sicut hactenus ineui-
tabilis praepedit, uel semel in anno sine cuiuslibet
excusatione personae, id est regiae uel priuatae, sine
cuiuscumque utilitatis obstaculo praeter infirmitatis cer-
tissimae labore praeuentum, nullius occasione uelaminis,
habeat unusquisque concursum ; sed, sicut dictum est,
neque impedimenti ordinationes regiae neque sub occas-
sione utilitatis aut causae propriae debeat a concilio
separari, apostolo praedicante : « Quis nos separabit a
caritate Christi ? tribulatio an angustia an persecutio an
famis an nuditas an periculum an gladius[a] ? » et reliqua.
Non debet spiritali opere etiam regalis preferri praeceptio,
cum primum in ecclesia sit mandatum : « Diliges Dominum Deum tuum ex toto corde tuo et ex tota anima tua
et ex tota uirtute tua[b]. » Vnde non debet praecepto
Domini persona cuiuslibet hominis anteponi neque debet
terrenae conditionis actio uel persona terrere, quos Christus spe crucis armauit. Si quis episcoporum, ut superius
dictum est, ad sinodum uenire distulerit, usque ad maiorem sinodum a fratribus et comprouincialibus maneat
excommunis nec eum ex alia prouincia ullus episcoporum
interea communicare praesumat. Ipse enim suae diuisio-

a. Rom. 8, 35
b. Matth. 22, 37

1. Voir le c. 1 du concile d'Orléans II, le c. 1 de celui d'Orléans III,
le c. 37 de celui d'Orléans IV, le c. 23 de celui d'Orléans V, le c. 7 du
concile d'Eauze : tous ces conciles prévoient un synode provincial annuel.

et des vices s'étendre au lieu de disparaître, et que les mesures dictées par les circonstances ne soient pas complaisamment négligées, mais efficacement réalisées.

1. Ainsi, il a plu au saint concile, par l'intercession de la puissance de saint Martin, en sa sainte basilique, de consigner par écrit que deux fois l'an le métropolitain et les comprovinciaux doivent se réunir en synode, avec la grâce de Dieu, au lieu choisi par le métropolitain ; ou alors, si une nécessité inévitable l'empêche, comme jusqu'à présent, que chacun tienne une assemblée au moins une fois l'an [1], sans en être dispensé par personne, que ce soit le roi ou un particulier ; sans en être empêché par un motif personnel, si ce n'est la fatigue d'une infirmité évidente ; sans se couvrir d'aucun prétexte. Et, comme il a été dit, on ne doit ni par un ordre royal, ni sous le prétexte d'un motif ou d'un intérêt personnel, se trouver séparé du concile, comme le proclame l'Apôtre : « Qui nous séparera de la charité du Christ ? la tribulation ? l'angoisse ? la persécution ? la faim ? la nudité ? le péril ? le glaive[a] ? » etc. Même un ordre du roi ne doit pas être préféré à une œuvre spirituelle, puisque dans l'Église le premier commandement, c'est : « Tu aimeras le Seigneur ton Dieu de tout ton cœur, et de toute ton âme, et de toutes tes forces[b]. » La dignité d'aucun personnage ne doit donc être mise au-dessus du précepte du Seigneur, et aucune intervention ni autorité d'une créature humaine ne doit faire peur à ceux que le Christ a armés de l'espérance de la croix. Si un évêque, comme il est dit ci-dessus, s'abstient de venir au synode, qu'il soit, jusqu'au grand synode, privé de la communion de ses frères et comprovinciaux, et qu'aucun évêque d'une autre province ne se permette, durant ce temps, d'entrer en communion avec lui. C'est en effet fournir soi-même

nis praeparat instrumenta, qui cum suis fratribus in membris ecclesiae non concordat.

2. Item decernitur propter illud coeleste mandatum : « Pacem meam do uobis[c] », ut pontificalis affectus inter consacerdotes inuiolabiliter conseruetur. Verum si pro peccatis, ut assolet, ex causa liuor emerserit, ut pendente certamine sibi inuicem reconciliare non possint, electis ab utraque parte fratribus, id est presbyteris, praeponderante dulcedine litis iacula finiant et uota pacis adquirant. Nam qua fronte festucam de alterius oculo uelit eruere, qui in suo trabem non respicit imminentem[d] ? aut quid in aliis arguit, a quo uitii fons inundat ? Si quis autem ab utraque parte, ut dictum est, electis presbyteris, hoc est suis membris, atque mediantibus se fratri reconciliari neglexerit, cum ad synodum uenerit, non solum reatum coram coepiscopis se cognoscat incurrere, uerum etiam congruae poenitentiae intelligat uindictam subire. Opportunum namque est illum animaduersione succumbere, qui intelligendo peccauit et, quod docere debuit, in sese neglexerit.

3. Vt corpus Domini in altari non imaginario ordine, sed sub crucis titulo componatur.

4. Vt laici secus altare, quo sancta misteria celebrantur, inter clericos tam ad uigilias quam ad missas stare penitus non praesumant, sed pars illa, quae a cancellis uersus

c. Jn 14, 27
d. Cf. Matth. 7, 3

---

1. Voir le c. 12 du concile d'Orléans IV.

les outils de sa propre séparation que de ne pas se
montrer d'accord avec ses frères dans le corps de l'Église.

2. Également, il est décrété, en vertu du commandement céleste : « Je vous donne ma paix[c] », que soit main-
tenue inviolablement entre frères dans l'épiscopat l'union
de sentiments qui convient à des pontifes. Cependant, si,
du fait du péché, comme cela se produit, l'hostilité
naissait d'un débat, au point que la querelle dure et
qu'ils ne puissent se réconcilier entre eux, que l'on désigne
de part et d'autre des frères — ce seront des prêtres —
pour que la mansuétude l'emporte et qu'ils mettent fin
aux affrontements et procurent le bien de la paix[1]. Quelle
effronterie en effet de prétendre retirer la paille de l'œil
d'autrui sans voir la poutre logée dans le sien[d] ? Ou que
peut-on reprocher aux autres si l'on déborde soi-même
de vices ? Et si l'un d'eux, après que des prêtres — c'est-
à-dire des membres de leur corps — ont été choisis de
part et d'autre et se sont entremis, s'abstenait de se
réconcilier avec son frère, qu'il sache bien, lorsqu'il se
rend au synode, que non seulement il s'expose à être
inculpé devant ses frères dans l'épiscopat, mais qu'il
devra subir la sanction d'une juste pénitence. Il convient
en effet que soit soumis au châtiment celui qui a péché
sciemment et qui a manqué pour son compte à ce qu'il
aurait dû enseigner.

3. Que le Corps du Seigneur soit disposé sur l'autel,
non de manière figurative, mais à l'image de la croix[2].

4. Que les laïques ne se permettent aucunement de se
tenir près de l'autel où se célèbrent les saints mystères,
parmi les clercs, aussi bien aux vigiles qu'aux messes :
que l'espace délimité par le chancel en direction de l'autel

---

2. Cf. F. CABROL, art. « *Fractio panis* », *DACL* V, 2 (1923),
col. 2113.

altare diuiditur, choris tantum psallentium pateat clericorum. Ad orandum et communicandum laicis et foeminis, sicut mos est, pateant sancta sanctorum.

5. Vt unaquaeque ciuitas pauperes et egenos incolas alimentis congruentibus pascat secundum uires ; ut tam uicani presbyteri quam ciues omnes suum pauperem pascant. Quo fiet, ut ipsi pauperes per ciuitates alienas non uagentur.

6. Vt nullus clericorum uel laicorum praeter episcopum epistolia facere presumant.

7. Vt episcopus nec abbatem nec archipresbyterum sine omnium suorum compresbiterorum et abbatum consilio de loco suo praesumat eicere neque per praemium alium ordinare nisi facto concilio tam abbatum quam presbyterorum suorum. Quem culpa aut negligentia eicit, cum omnium presbiterorum suorum consilio refutetur.

8. Quicumque episcopus illum, quem alter episcopus excommunicatum habet, postquam fuerit de ipsius excommunicatione commonitus, communicare praesumpserit, usque ad synodum excommunis habeatur.

9. Adicimus etiam, ne quis Brittanum aut Romanum in Armorico sine metropolis aut comprouincialium uoluntate uel literis episcopum ordinare praesumat. Quod si quis contraire temptauerit, sententiam in anterioribus

---

1. Le c. 4 figure chez Benoît le Lévite (III, 279) et Yves de Chartres (Décret II, 137).
2. Voir le c. 13 du concile d'Orléans II.
3. Le c. 8 figure dans le ms. de Bonneval 9, 34.

soit ouvert seulement aux chœurs des clercs qui psalmodient. Pour prier et pour communier, les laïques et
les femmes, selon l'usage, ont accès au sanctuaire (*sancta
sanctorum*) [1].

5. Que chaque cité fournisse à ses habitants pauvres
et indigents les aliments suffisants, selon ses ressources ;
qu'aussi bien les prêtres des bourgs (*uicani*) que tous les
citoyens nourrissent chacun leur pauvre. De la sorte, ces
pauvres ne vagabonderont pas par les cités étrangères.

6. Qu'aucun des clercs ou des laïques ne se permette
de rédiger des lettres de recommandation, mais seulement
l'évêque [2].

7. Que l'évêque ne se permette pas de déposer de sa
charge un abbé ou un archiprêtre sans l'avis de tous
leurs confrères, prêtres ou abbés, ni d'en établir un autre
moyennant une gratification, mais seulement après avoir
assemblé tant les abbés que les prêtres. Que celui qu'exclut sa faute ou sa négligence soit rejeté de l'avis de tous
ses confrères prêtres.

8. Que tout évêque qui se permet d'entrer en communion avec quelqu'un qu'un autre évêque a excommunié,
alors qu'il a été informé de son excommunication, soit
tenu pour excommunié jusqu'au synode [3].

9. Nous ajoutons que personne ne doit se permettre
d'ordonner évêque en Armorique un Breton ou un Romain sans le consentement ou les lettres du métropolitain
ou des comprovinciaux [4]. Si quelqu'un tentait d'y contre-

4. Sur cette revendication du métropolitain de Tours en face des
libertés prises par les Bretons nouveaux-venus, cf. DUCHESNE, *Fastes,*
II, p. 256.

canonibus prolatam obseruet et a nostra caritate usque
ad maiorem synodum se cognoscat esse remotum, quia
merito a caritate nostra uel nostris ecclesiis segregantur,
qui patrum statuta contemmunt.

10. De familiaritatibus mulierum licet crebrius sit in
canonibus replicatum, adtamen necesse est, ut, si secta
uirgulta, quae mala pullulauerant, rursus fidei falce suc-
cidantur et iam radicitus eruantur. Nullus deinceps clericorum pro occasione necessitatis faciendae vestis aut
causa ordinandae domus extraneam mulierem in domum
suam habere praesumat. Et cum iubeamur uictum aut
uestitum artificiolo quaerere et manibus propriis laborare,
quid opus est in domum serpentem includere pro ueste,
quae multiformis uestem non propterea deponit, ut nu-
detur, sed ut se gratiorem, dum renouatur, ostendat ?

11. Nullus ergo clericorum, non episcopus, non presbiter, non diaconus, non subdiaconus, quasi sanctimo-
nialem aut uiduam uel ancillam propriam pro conserua-
tione rerum in domum suam stabilire praesumat, quae
et ipsa extranea est, dum non est mater aut soror aut
filia, quae etiam pronior propinquauit ad culpam, dum
dinoscitur subiecta dominatu. Si quis episcoporum aut
presbiterorum seu diaconorum aut subdiaconorum de
hac re statuta patrum uel nostra temerare praesumpserit,
excommunicetur.

12 (11). Si quis episcoporum ad distringendum eos,
qui in hac facilitate perdurant, neglegens apparuerit, sicut

---

1. Voir le c. 2 du concile d'Eauze.

venir, qu'il tombe sous la sentence promulguée par les
canons antérieurs et se sache exclu de notre communion
jusqu'au grand synode, car il est légitime que soient
séparés de notre communion et de nos églises ceux qui
méprisent les statuts des Pères.

10. Quant à la familiarité avec les femmes, bien que
ce point ait été fréquemment repris dans les canons, il
est pourtant nécessaire, si resurgissent les rejets coupés
après avoir malheureusement poussé, qu'ils soient
tranchés par la serpe de la foi et enfin arrachés jusqu'à
la racine. Que dorénavant aucun clerc, à l'occasion de la
confection nécessaire d'un vêtement, ou en vue de la
tenue de la maison, ne se permette de garder dans sa
maison une femme étrangère. Et puisqu'il nous est
commandé de gagner nourriture et vêtement par notre
industrie et de travailler de nos propres mains, quel
besoin d'enfermer dans notre maison, à propos de vêtements, une vipère changeante qui ne quitte pas son
vêtement afin de se dévêtir, mais afin de se montrer plus
plaisante en en changeant ?

11. Qu'aucun clerc donc, ni évêque, ni prêtre, ni
diacre, ni sous-diacre ne se permette d'installer chez lui
une personne pour l'entretien du ménage sous le prétexte
que c'est une religieuse, ou une veuve, ou une esclave
personnelle : cette dernière aussi est une étrangère, puisqu'elle n'est ni une mère, ni une sœur, ni une fille [1] ; elle
est même plus portée et plus exposée à la faute, puisqu'elle est naturellement soumise à l'autorité de son
maître. Si l'un des évêques, des prêtres, des diacres ou
des sous-diacres se permet de contrevenir sur ce point
aux statuts des Pères et aux nôtres, qu'il soit excommunié.

12 (11). Si un évêque se montre négligent à sanctionner
ceux qui persistent dans ce laisser-aller — comme il a

in ipsa sancta basilica est publice recitatum ex consensu
commune atque omnis populi, sententiam praecessorum
canonum se incurrere omnino cognoscat, sic tamen, ut
tam metropolis suis cumprouincialibus, quam cumprouin-
ciales metropoli suo, si resistere aut contemnere episcopum clerici sui praesumpserint, dent omnino solatium.
Et quia dixit sancta scriptura : « Frater fratrem adiuuans
exaltatibur^e », quicumque pro causa Dei fratri suo solatium commonitus dare distulerit, usque ad synodum re-
moueatur. Nam si episcopus se contemni sentiens fratres
suos in solatio suo non commonuerit, ipse sciat, qualiter
reddat Domino rationem.

13 (12). Episcopus coniugem ut sororem habeat et ita
conuersatione sancta gubernet domum omnem tam ecclesiasticam quam propriam, ut nulla de eo suspicio
quaqua ratione consurgat. Et licet Deo propitio clericorum suorum testimonio castus uiuat, quia cum illo tam
in cella quam, ubicumque fuerit, sui habitant eumque
prosecuntur et presbiteri et diaconi uel deinceps clericorum turba iuniorum Deo adiutore conuersantur : sic
tamen propter zelotem Deum nostrum tam longe absint
mansionis propinquitate diuisi, ut nec hi, qui ad spem
recuperandam clericorum seruitute nutriuntur, famula-
rum propinqua contagione polluantur.

14 (13). Episcopum episcopiam non habentem nulla
sequatur turba mulierum : « uidelicet saluatur uir per
mulierem fidelem, sicut et mulier per uirum fidelem^f », ut
apostolus ait. Nam ubi talis custodia necessaria non est,
quid necesse est, ut miseria prosequatur, unde fama

e. Prov. 18, 19
f. I Cor. 7, 14

été publiquement déclaré en cette sainte basilique, avec l'assentiment de tous et celui de tout le peuple —, qu'il sache qu'il tombe pleinement sous la sentence des canons antérieurs, avec cette précision que si des clercs se permettaient de résister à leur évêque ou de le mépriser, le métropolitain soutiendra pleinement ses comprovinciaux, aussi bien que les comprovinciaux leur métropolitain. Et puisqu'il est dit dans la sainte Écriture : « Le frère qui aide son frère sera glorifié[e] », que quiconque, sollicité de soutenir son frère pour la cause de Dieu, néglige de le faire, soit tenu à l'écart jusqu'au synode. Si du reste un évêque, s'apercevant qu'il est méprisé, ne sollicite pas le soutien de ses frères, à lui de voir quel compte il doit rendre au Seigneur.

13 (12). Que l'évêque considère sa femme comme sa sœur, et qu'il gouverne sa maison — celle de l'église et la sienne propre — en se conduisant si saintement qu'aucun soupçon d'aucune sorte ne s'élève contre lui. Et même si, grâce à Dieu, il vit chastement au témoignage de ses clercs — puisque ceux-ci habitent avec lui et l'accompagnent sans sa chambre et partout où il se trouve, et que prêtres et diacres, plus la troupe des jeunes clercs, vivent avec lui —, que néanmoins, à cause de notre Dieu jaloux, ils se trouvent suffisamment éloignés et séparés par la distance de leur demeure pour que ceux aussi que l'on éduque aux devoirs des clercs, dans l'espoir de la relève, ne soient pas gâtés par la promiscuité des servantes.

14 (13). Que l'évêque qui n'a pas d'épouse (*episcopia*) ne soit pas escorté d'une troupe de femmes. Certes, comme le dit l'Apôtre, « l'homme est sauvé par la femme fidèle, aussi bien que la femme par l'homme fidèle[f] ». Mais là où une telle protection n'est pas nécessaire, quelle nécessité d'une fâcheuse escorte, qui engendre les ru-

consurgat ? Habeant ministri ecclesiae, utique clerici, qui episcopum seruiunt et eum custodire debent, licentiam extraneas mulieres de frequentia cohabitationis eicere.

15 (14). Et ne occasio famam laceret honestatis, quia aliqui laici, dum diuersa perpetrant adulteria, hoc, quod de se sciunt, in aliis suspicantur, sicut ait Seneca : « Pessimum in eum uitium esse, qui in id, quod insanit, ceteros putat furere », ut et ipsis putantibus aut certe estimantibus locus amputetur, nullus sacerdotum ac monachorum colligere alium in lecto suo praesumat nec liceat monachis cellas habere communes, ubi aut bini maneant aut peculiaria reponi possint, sed scola labore communi construatur, ubi omnes iaceant aut abbate aut praeposito inminente, ut, dum duo uel tres uicissim et legunt et excubant, alii consolentur, ut non solum sit custodia corporum, sed et surgat pro lectione assidua profectus animarum.

16 (15). Si qui in monasterio conuersi sunt aut conuerti uoluerint, nullatenus exinde habeant licentiam euagandi nec, quod absit, ullus eorum coniugem ducere aut extranearum mulierum familiaritatem habere. Nam sicut supra dictum est, si uxorem duxerit, excommunicetur et de uxoris malae societatis consortio etiam iudicis auxilio separetur. Quod si iudex ad hoc solatium dare noluerit, excommunicetur. Qui infelix monachus tale coniunctione

---

1. Cet adage figure dans le *De moribus liber* du PSEUDO-SÉNÈQUE, § 35, sous la forme : *Hoc habet omnis affectus, ut in id quod ipse insanit [in idem] putet ceteros furere* (*Senecae Opera,* éd. Fr. Haase, III [1853], p. 463 ; Haase a connu la présente citation : cf. *ibid., Praefatio,* p. XX).

meurs ? Que les serviteurs de l'église, les clercs naturellement, qui servent l'évêque et doivent le garder, aient
licence de chasser les femmes étrangères de la foule des
commensaux.

15 (14). Pour ne pas donner prétexte à ce que soit
lacérée leur réputation d'honnêteté — car certains laïques
commettant diverses formes d'adultère soupçonnent chez
autrui ce dont ils ont personnellement l'expérience
(comme le dit Sénèque : « Le pire des vices est celui de
l'homme qui, lorsqu'il déraisonne, croit que les autres
délirent[1] ») —, pour que soit retranchée toute prise à
leur jugement, ou du moins à leur soupçon, qu'aucun
prêtre ni moine ne se permette d'admettre un autre dans
son propre lit ; et qu'il soit interdit aux moines d'avoir
des cellules communes où ils demeurent à deux, ou bien
où ils puissent ranger des objets personnels : que l'on
construise, en y travaillant tous, un dortoir (*scola*) où
tous couchent, sous la surveillance de l'abbé ou du
prévôt. Tandis que deux ou trois, à tour de rôle, veille-
ront et feront la lecture, les autres reposeront : ainsi, non
seulement les corps seront gardés, mais les âmes tireront
profit d'une lecture assidue.

16 (15). Que ceux qui, en entrant au monastère, ont
changé de vie ou se disposent à en changer n'aient plus
dès lors aucune licence d'aller et venir, et qu'aucun d'eux
— loin de là ! — n'ait celle de prendre femme ou de
vivre familièrement avec des femmes étrangères[2]. Car
comme il a été dit plus haut, s'il prend femme, qu'il soit
excommunié, et aussi, par intervention du juge, séparé
de la mauvaise compagnie de cette épouse. Et si le juge
ne veut pas s'y prêter, qu'il soit excommunié. Si le
malheureux moine souillé par une telle union tente de se

2. Voir le c. 21 du concile d'Orléans I.

fedatus si per cuiuscumque patrocinium se conatus fuerit
defensare, et is, qui in hac pertinacitate perdurat, et ille,
qui eum exceperit ad defensandum, ab ecclesia segregentur, donec reuertatur ad septa monasterii et indictam ab
abbate, quamdiu ei praeceptum fuerit, agat penitentiam ;
et post satisfactionem reuertatur ad gratiam.

17 (16). Vt mulier intra septa monasterii nullatenus
introire permittatur. Si abba in hac parte aut praepositus
neglegens apparuerit, qui eam uiderit et non statim reie-
cerit, excommunicetur.

18 (17). De ieiuniis uero antiqua a monachis instituta
conseruentur, ut de pascha usque quinquagesimam excepto rogationes omni die fratribus prandium praepare-
tur ; post quinquagesima tota ebdomada ex asse ieiunent.
Postea usque kalendas Augusti ter septimana ieiunent :
secunda, quarta et sexta die excepto his, qui aliqua
infirmitate constricti sunt. Augusto, quia cotidie missae
sanctorum sunt, prandium habeant ; Septembre toto et
Octobre et Nouembre, sicut prius dictum est, ter in
septimana, de Decembre usque natale Domini omni die
ieiunent. Et quia inter natale Domini et epyfania omni
die festiuitates sunt, idemque prandebunt excepto tri-
duum illud, quod ad calcandam gentilium consuetudinem
patres nostri statuerunt, priuatas in kalendis Ianuarii fieri
letanias, ut in ecclesia psalletur et hora octaua in ipsis
kalendis circumcisionis missa Deo propitio celebretur ;
post epyfania uero usque quadragensimam ter in septimana ieiunent.

1. Le c. 16 figure dans le ms. de Bonneval 12, 12 et chez Benoît le
Lévite II, 428.

2. *Ex asse :* cité par *TLL* II, col. 747, 45.

3. Tous les jours de jeûne, notamment ceux de « litanies », la messe
est célébrée « à l'heure des vêpres, lorsque cessait le jeûne » : cf.
É. Griffe, *La Gaule chrétienne à l'époque romaine*, t. III : *La cité
chrétienne*, Paris 1965, p. 183-184.

défendre en recourant à la protection de qui que ce soit, qu'aussi bien lui qui persiste dans son entêtement que celui qui a accepté de le défendre soient exclus de l'église, jusqu'à ce qu'il revienne à la clôture du monastère et s'acquitte de la pénitence imposée par l'abbé, aussi longtemps qu'il lui sera prescrit ; et qu'après satisfaction il rentre en grâce [1].

17 (16). Qu'il ne soit aucunement permis à une femme d'entrer dans la clôture du monastère. Si l'abbé ou le prévôt se montre négligent sur ce point, en la voyant et en ne la chassant pas aussitôt, qu'il soit excommunié.

18 (17). Quant aux jeûnes, que les moines observent les anciennes prescriptions : que de Pâques à la Pentecôte (*quinquagesima*) sauf aux Rogations, on serve chaque jour aux frères le déjeuner (*prandium*) ; qu'après la Pentecôte ils jeûnent complètement [2] toute une semaine. Qu'ensuite, jusqu'aux calendes d'août, ils jeûnent trois fois par semaine : le lundi, le mercredi et le vendredi, à l'exception de ceux qui sont empêchés par quelque infirmité. Qu'en août, puisqu'il y a chaque jour des messes des saints, ils prennent le déjeuner. Que durant tout septembre, octobre et novembre, ils jeûnent, comme il a été dit, trois fois par semaine, et en décembre jusqu'à la Nativité du Seigneur, tous les jours. Et puisque, de la Nativité du Seigneur à l'Épiphanie, il y a chaque jour des fêtes, ils déjeuneront également, sauf durant les trois jours qu'ont fixés nos Pères pour contrecarrer les coutumes des païens : aux calendes de janvier auront lieu des litanies particulières ; que l'on psalmodie à l'église, et que le jour même des calendes se célèbre à la 8e heure, Dieu aidant, la messe de la Circoncision [3]. Qu'après l'Épiphanie et jusqu'au Carême ils jeûnent trois fois par semaine.

19 (18). Idemque pro reuerentia domni Martini uel cultu ac uirtute id statuimus obseruandum, ut tam in ipsa basilica sancta quam in ecclesiabus nostris iste psallendi ordo seruetur : ut in diebus aestiuis ad matutina sex antephane binis psalmis explicentur ; toto Augusto manicationes fiant, quia festiuitates sunt et missae ; Septembre septem antephane explicentur binis psalmis ; Octobre octo ternis psalmis ; Nouembre nouem ternis psalmis ; Decembre decem ternis psalmis ; Ianuario et Februario idemque usque pascham ; sed, ut possibilitas habet, qui facit amplius pro se et qui minus, ut potuerit. Superest, ut uel duodecim psalmi expediantur ad matutina, quia patrum statuta praeceperunt, ut ad sexta sex psalmi dicantur cum allelugis et ad duodecima duodecim idemque cum allelugis, quod etiam angelo ostendente didicerunt. Si ad duodecima duodecim, cur ad matutina non idemque uel duodecim explicentur ? Quicumque minus quam duodecim psalmos ad matutina dixerit, ieiunet usque ad uesperum, panem cum aqua manducet ; non illi sit altera in illa die ulla refectio. Et qui hoc facere contempserit, una ebdomada panem cum aqua manducet et ieiunet omni die usque ad uesperum.

20 (19). Archipresbiteri uero uicani et diaconi et subdiaconi non quidem omnes, sed plures in hac suspicione tenentur a populo, quod cum coniugibus suis maneant. Pro qua re hoc placuit obserurare, ut quotienscumque archipresbiter seu in uico manserit seu ad uillam suam ambulauerit, unus lectorum canonicorum suorum aut certe aliquis de numero clericorum cum illo ambulet et

---

1. Sur cette « règle de l'ange », cf. CASSIEN, *Institutions cénobitiques* II, 4-6. Elle remontait à saint Pacôme : cf. PALLADIOS, *Histoire Lausiaque* 32, 6, s'inspirant de la *Vita tertia Pachomii* 29-32.

2. *Clerici* : voir *supra*, la note au c. 15 du concile de Clermont.

19 (18). De même, par égard à l'honneur de saint Martin, à son culte et à ses miracles, nous avons établi d'observer que soit gardé, aussi bien dans cette sainte basilique que dans nos églises propres, l'ordre suivant pour la psalmodie : que dans les jours d'été, aux matines, on chante six antiennes avec deux psaumes chacune ; que tout le mois d'août on emploie des formules plus rapides (*manicationes*), puisqu'il y a des fêtes et des messes ; qu'en septembre on chante sept antiennes avec deux psaumes chacune ; en octobre, huit avec trois psaumes chacune ; en novembre, neuf avec trois psaumes chacune ; en décembre, dix avec trois psaumes chacune ; de même en janvier et février, jusqu'à Pâques ; cela selon la possibilité, l'un faisant davantage pour son compte, l'autre moins, comme il peut. De toute façon, que l'on chante à matines douze psaumes au moins, comme l'ont prescrit les Pères ; et qu'à la sixième heure soient dits six psaumes avec les alleluias, et à la douzième, douze psaumes, de même avec les alleluias, ce que les Pères ont su par révélation de l'ange [1]. S'il y a douze psaumes à la douzième heure, comment n'en chanterait-on pas de même au moins douze à matines ? Que quiconque dit moins de douze psaumes à matines jeûne jusqu'à vêpres ; qu'il reste au pain et à l'eau et n'ait ce jour-là aucun autre repas. Et que celui qui méprise cette prescription reste au pain et à l'eau durant une semaine et jeûne chaque jour jusqu'à vêpres.

20 (19). Des archiprêtres ruraux (*uicani*), ainsi que des diacres et des sous-diacres, non pas tous, mais beaucoup, se trouvent soupçonnés par le peuple de demeurer en compagnie de leurs épouses. C'est pourquoi il a été décidé d'observer que, chaque fois que l'archiprêtre, soit demeure dans le bourg (*uicus*), soit se rend à son domaine (*uilla*), l'un des lecteurs attachés à son église (*canonici*) [2] ou au moins quelqu'un des clercs aille avec lui et ait un

in cella, ubi ille iacet, lectum habeat pro testimonio. Septem tamen inter subdiaconos et lectores uel laicos habeat concessos, qui uicissim septimanas suas cum illo facere omnino procurent ; qui distulerit, fustigetur. Et si in hoc presbiter neglegens inuentus fuerit, quod non hoc sic implere contendat, triginta diebus communione priuetur, donec poenitentiam agat et sic reuertatur ad gratiam. Reliqui presbyteri et diaconi ac subdiaconi uicani hoc studeant, ut mancipiola sua ibi maneant, ubi uxores suae ; illi tamen segregatim solitarii in cella iaceant et orent et dormiant. Nam qui uxores non habent, in parte de mancipiolis suis habeant cellulas segregatim, ubi et ipsi quidem orent segregati et dormiant. Nam si inuentus fuerit presbiter cum sua presbiteria aut diaconus cum sua diaconissa aut subdiaconus cum sua subdiaconissa, annum integrum excommunis habeatur et depositus ab omni officio clericali inter laicos se obseruare cognoscat, eo tamen permisso, ut inter lectores in psallentium choro colligatur. Illi uero archipresbyteri, qui talem cautelam super iuniores suos habere noluerint et non eos habuerint studio distringendi, ab episcopo suo in ciuitate retrudantur in cella ibique mense integro panem cum aqua manducent et poenitentiam agant pro sibi credito clero, quia nulli clericorum iuxta sententia canonum cum coniuge sua manere permittitur et quia haeresis nicolaitarum per Nicolai facilitatem surrexit, uti legitur : « Ista haeresis presbiterorum a quodam presbitero primum surrexit », etiam quod nullus potuit aestimare, quod auderet ille, qui corpus Domini consecrat, talia perpetrare, nisi tempore nouissimo pro peccatis nostris ista surrexerunt. Si

---

1. *Mancipiola :* terme familier employé par le c. 7 du concile d'Agde, repris par le c. 15 du concile de Clichy.

2. Citation non identifiée et peu adaptée au contexte, puisqu'on se référait au « diacre Nicolas », ce que montre aussi la suite du texte *(diacones illi)*.

lit dans la chambre où lui-même couche, pour lui servir
de témoin. Que lui soient donc attachés sept des sous-
diacres, des lecteurs et des laïques qui à tour de rôle
assurent pleinement auprès de lui leurs semaines ; si l'un
d'eux s'en dispense, qu'il soit fustigé. Et si ce prêtre se
montrait négligent sur ce point, en ne mettant pas ses
soins à s'acquitter de cette obligation, qu'il soit privé de
la communion durant trente jours, jusqu'à ce qu'il ait
fait pénitence et rentre ainsi en grâce. Que les autres
prêtres, diacres et sous-diacres ruraux veillent à ce que
leurs esclaves [1] demeurent là où habitent leurs épouses.
Et pour ceux qui n'ont pas d'épouses, qu'ils aient leurs
chambres à part, séparément de leurs esclaves [2], et qu'eux
aussi prient et dorment là, séparément. Si un prêtre était
trouvé avec sa femme (*presbyteria*), ou un diacre avec la
sienne (*diaconissa*), ou un sous-diacre avec la sienne
(*subdiaconissa*), qu'il soit maintenu hors de la communion
durant un an et que, déposé de tout office clérical, il
participe au culte parmi les laïques, avec toutefois la
permission de prendre place parmi les lecteurs dans le
chœur des chantres. Et pour les archiprêtres qui négli-
geraient de prendre de telles précautions au sujet de leurs
jeunes clercs et ne se préoccuperaient pas de les punir,
qu'ils soient enfermés par leur évêque dans la cité, dans
une cellule, et que là, tout un mois, ils soient au pain et
à l'eau et fassent pénitence en raison du clergé qui leur
est confié. En effet, selon les dispositions des canons, il
n'est permis à aucun clerc de demeurer avec sa femme,
et l'hérésie des nicolaïtes est née du fait de la licence de
Nicolas — comme il est écrit : « Cette hérésie des prêtres
est à l'origine née d'un prêtre [3]. » Personne n'aurait pu
supposer que celui qui consacre le Corps du Seigneur
oserait commettre de telles fautes, mais c'est en raison
de nos péchés que pareilles choses sont apparues récemment. Si ces diacres-là ont été condamnés et réputés

illi diaconi omnium sententia episcoporum damnati sunt
et heretici reputati ac si tales diaconi illi subiacent ma-
ledictione, quos patrum statuta pro hac causa damna-
runt, quid illi infelices presbyteri, qui tali sunt peccato,
subiecti, ut alios trahant in praeceps secum, qui eos tali
ordine uiuere cernunt, ut, qui deberent esse forma prae-
cepti, ipsi inueniantur forma peccati. Rectius est, ut caput
morbidum, si curare non potest, amputetur, quam grex
pro eodem infelicetur. Tales ergo sacerdos et pastor non
debet a populo uenerari sed renui, qui non formam
disciplinae sed uitii docet, dum se ipsum non corrigit.

21 (20). Et quia in sententia papae Innocenti ad Vic-
tritium episcopum Rotomagensem latam legitur scriptum
de uirginibus, quae Christo spiritaliter nupserunt et uelari
a sacerdote meruerunt, si postea nupserint, quod uix
etiam ad agendam poenitentiam mereantur accedere, quia
sic dicit : « Si enim de hominibus haec custoditur, ut,
quaecumque uiuente uiro altero nupserit, habeatur adul-
tera, quanto magis et illa damnanda est, quae se ante
immortali sponso coniunxerat et postea ad humanas
nuptias transmigrauit ? » Et adiecit : « Hae uero, quae
necdum sacro uelamine tectae sunt, tamen in proposito
uirginali semper manere simulauerant, licet uelatae non
sint, si postea nupserint, his agenda aliquanto tempore
poenitentia est, quia sponsio earum a Deo tenebatur.
Nam si inter homines solet bonae fidei contractus nulla
ratione dissolui, quantum magis ista pollicitatio, quam
cum Deo peregit, solui sine uindicta non debet. » Post
haec de uiduabus adiunxit : « Si apostolus Paulus, quae

---

1. La conjecture *infelicetur* de MAASSEN (*infelletur* codd. ; *inficiatur*
edd.) est rejetée par *TLL* VII, 1, col. 1360, 69.

2. Le c. 20 figure chez Benoît le Lévite (II, 428).

3. Lettre du 15 février 404 (J.W. 286 ; *PL* 20, col. 479 A - 480 A).

hérétiques au jugement de tous les évêques, et si les
diacres pareils à eux tombent sous la même malédiction,
puisque les statuts des Pères les ont condamnés pour ce
motif, qu'en sera-t-il de ces malheureux prêtres qui sont
sujets au même péché, si bien qu'ils entraînent dans leur
chute les autres qui les voient vivre de telle façon : ainsi,
ceux-là même qui devraient être l'exemple de la règle se
montrent l'exemple du péché. Mieux vaut que le chef
malade, s'il ne peut être soigné, soit coupé, plutôt qu'à
cause de lui le troupeau ne soit infecté[1]. Pareil évêque
et pasteur ne doit donc pas être vénéré, mais rejeté par
le peuple : il n'enseigne pas l'exemple de la discipline,
mais celui du vice, puisqu'il ne se corrige pas lui-même[2].

21 (20). Dans la décrétale du pape Innocent à l'évêque
Victrice de Rouen[3], on lit au sujet des vierges qui ont
spirituellement épousé le Christ et ont mérité de recevoir
de l'évêque le voile, que si ensuite elles se marient, c'est
à peine si elles sont dignes d'avoir accès à la pénitence.
Voici ses paroles : « Si, quand il s'agit des hommes, on
observe cette règle que si une femme, du vivant de son
mari, en épouse un autre, elle est tenue pour adultère,
combien plus faut-il condamner aussi celle qui d'abord
s'était unie à l'Époux immortel et ensuite est passée à
des noces humaines ! » Et il ajoute : « Quant à celles qui
n'ont pas encore été couvertes du voile sacré, mais qui
ont manifesté l'intention de demeurer toujours dans le
propos de virginité, tout en n'ayant pas reçu le voile, si
ensuite elles se marient, elles doivent faire pénitence
quelque temps, puisque Dieu avait reçu leur promesse.
Car si entre les hommes, c'est l'usage qu'un contrat de
bonne foi ne soit rompu pour aucune raison, combien
plus cette promesse passée avec Dieu ne doit-elle pas être
rompue sans qu'il y ait une sanction. » Après quoi il
ajoute, à propos des veuves : « Si l'apôtre Paul dit de

a proposito uiduitatis discesserunt, dixerat eas habere
damnationem, ubi ait : " Quia primam fidem irritam
fecerunt[g] ", etc. » Quis sacerdotum contra decretalia,
quae a sede apostolica processerunt, agere praesumat uel
quis, quod peius est, contra sententiam, quam uas elec-
tionis[h] Paulus apostolus Spiritu sancto ministrante pro-
mulgauit, aliud conscribere ulla ratione praesumat, cum
dicat ipse per Spiritum sanctum : « Qui praedicauerit
super id, quod praedicaui, anathema sit[i] » ? Et quorum
auctorum ualere possit praedicatio, nisi quos sedes apostolica semper aut intromisit aut apogrifare non fecit ? Et
patres nostri hoc semper custodierunt, quod eorum praecepit auctoritas. Nos ergo hoc sequentes, quod uel apostolus Paulus uel papa Innocentius statuit, in canonibus
nostris inserentes statuamus obseruandum : ita dumtaxat,
ut nullus nec sacratam Deo uirginem neque si in honore
Christi ueste mutauit, tam uiduam quam puellam, aut
rapere aut competere aut sibi in coniugium sociare praesumat, quia etiam lex Romana constituit : « Quicumque
sacratam Deo uirginem uel uiduam fortasse rapuerit, si
postea eis de iunctione conuenerit, capitis sententiam
feriantur », item : « Si quis, non dicam rapere, sed adtemptare matrimonii iungendi causa sacratas uirgines uel
uiduas ausus fuerit, capitis sententiam feriatur », cum
etiam in chronicis habeatur de uirginibus gentilium tempore, quae se Vestae sacrauerant, postmisso proposito et
corrupta uirginali gratia legale sententia uiuas in terra
fuisse defossas. Si profana colentes tali sunt sententia
condemnatae, quanto magis, quae in honore redemptoris
sui se ueste mutauerint et perseuerare noluerint, utique

g. I Tim. 5, 12
h. Cf. Act. 9, 15
i. Cf. Gal. 1, 9

1. Interprétation de *C. Th*. 9, 25, 1, mais celui-ci, se référant à un
passage antérieur, disait : *pariter puniatur*.
2. *C. Th*. 9, 25, 2.

celles qui se sont écartées de leur propos de viduité qu'elles méritent la condamnation, en précisant : " Parce qu'elles ont annulé leur premier engagement[g] ", etc. » Qui parmi les évêques oserait aller contre les décrétales émanées du Siège apostolique ? Qui, pire encore, oserait en aucune façon écrire rien de contraire à la sentence prononcée avec l'assistance de l'Esprit Saint par l'apôtre Paul, ce vase d'élection[h] ? Lui-même n'a-t-il pas dit, par l'Esprit Saint : « Si quelqu'un prêche quelque chose de plus que je n'ai prêché, qu'il soit anathème[i] » ? Et quels sont les hommes dont la prédication peut faire autorité, sinon ceux que toujours le Siège apostolique a admis ou qu'il n'a pas mis au nombre des apocryphes ? Nos Pères ont toujours observé ce qu'a prescrit l'autorité de ces hommes. Alors nous aussi, à leur suite, ce que l'apôtre Paul aussi bien que le pape Innocent ont prescrit, décrétons de l'observer en l'insérant dans nos canons : à savoir que personne n'ose ravir ou enlever ou se lier par le mariage ni une vierge consacrée à Dieu, ni une veuve ou une jeune fille qui a changé son vêtement en l'honneur du Christ. Même la loi romaine l'a établi : « Si quelqu'un vient à ravir une vierge consacrée à Dieu ou une veuve, et si ensuite une union est contractée entre eux, qu'ils soient frappés d'une sentence capitale [1]. » Et encore : « Si quelqu'un a eu l'audace, je ne dis pas de ravir, mais de rechercher en vue de contracter mariage, des vierges sacrées ou des veuves, qu'il soit frappé d'une sentence capitale [2]. » Dans les chroniques également, il est dit de vierges qui au temps des païens s'étaient consacrées à Vesta, qu'ayant transgressé leur promesse et porté atteinte à leur vertu virginale, elles furent, par sentence légale, enterrées vivantes. Si celles qui s'acquittaient d'un culte impie furent frappées d'une telle sentence, combien plus celles qui, après avoir changé leur vêtement en l'honneur de leur Rédempteur, n'ont pas voulu persévérer

grauem debent exspectare sententiam, sicut in Arelatense synodo habetur insertum : « De puellis, quae se uouerint Deo et preclari decore nominis floruerint, si post uiginti quinque presertim annos aetatis ad terrenas nuptias sponte transierint, id custodiendum esse decreuimus, ut cum his, quibus se alligauerint, communione priuentur, ita ut eis postulantibus poenitentia non negetur, cuius poenitentiae communio multo tempore differatur », cum etiam iam in antiquos Meleuitanos canones fuerit statutum : « Item placuit, ut, quicumque episcoporum necessitate periclitantis pudicitiae uirginalis cum petitor potens uel raptor aliquis formidatur uel si etiam aliquo mortis periculoso scrupulo compuncta fuerit, ne non uelata moriatur, aut exigentibus parentibus aut his, ad quorum curam pertinet, uelauerit uirginem seu uelauit intra uiginti quinque annos aetatis, non ei obsit concilium, quod de isto annorum numerum constitutum est. » Nos uero, quos lex perimi iubet, si cupiunt audire praeconem, uolumus, ut conuertantur et uiuant[j]. Nam tunc perimendi sunt oris gladio[k] et a communione priuandi, si relicta sibi decreta seniorum obseruare noluerint et pastorem suum audire despexerint et se separare noluerint. Qui ergo in hac pertinacia perdurare uoluerint et plus in uolutabro malae conuersationis permanere, quam se de uetito coniugio separare, perenni excommunicatione damnentur. Et quicumque episcoporum aut presbyterorum uel diaconorum aut subdiaconorum eis communicare praesumpserit, usque ad synodum ab omnibus episcopis

j. Cf. Éz. 18, 23-32 ; 33, 11
k. Cf. Apoc. 2, 16

1. Collection dite du « IIᵉ concile d'Arles » (c. 52).
2. Canon 26 du « concile de Milève » en 402. Il s'agit en réalité d'un canon du concile de Carthage du 1ᵉʳ mai 418, repris au c. 126 des *Excerpta* du Registre de l'église de Carthage (cf. MUNIER, *Conc. Afr.*, p. 227). Sur l'exigence de l'âge de vingt-cinq ans pour la consécration

doivent-elles évidemment s'attendre à une lourde sentence, ainsi qu'il est indiqué dans le concile d'Arles : « Au
sujet des jeunes filles qui se vouent à Dieu et brillent de
l'éclat d'un nom excellent, si, surtout après vingt-cinq
ans, elles passent de leur propre mouvement à des noces
terrestres, voici la règle que nous avons fixée : qu'elles
soient, avec ceux à qui elles se sont unies, privées de la
communion, sans que la pénitence leur soit refusée s'ils
la demandent ; mais que la communion, au terme de
cette pénitence, soit longtemps différée[1]. » Voici ce qui
avait déjà été statué par les anciens canons de Milève :
« Il a été aussi décidé que si un évêque — dans l'urgence
du danger que court la pudeur d'une vierge pour qui
l'on redoute un prétendant puissant ou un ravisseur, ou
dans le cas où elle-même, en quelque danger de mort,
craint de mourir sans avoir reçu le voile — lui a donné
le voile ou le lui donne à moins de vingt-cinq ans, sur
la demande de ses parents ou de ceux qui sont chargés
d'elle, que la disposition conciliaire fixant cet âge n'y
fasse pas obstacle[2]. » Certes, ces gens que la loi ordonne
de mettre à mort, nous voulons, s'ils désirent entendre
le prophète, qu'ils se convertissent et qu'ils vivent[j]. Car
s'ils doivent être mis à mort par le glaive de la parole[k]
et privés de la communion, c'est lorsqu'ils refusent d'observer les décrets que leur ont légués les Pères, et qu'ils
dédaignent d'écouter leur pasteur, et qu'ils ne veulent
pas se séparer. Que ceux donc qui veulent persévérer
dans cet entêtement et aiment mieux demeurer dans le
bourbier de leur conduite mauvaise que se séparer d'un
mariage prohibé, soient frappés d'une perpétuelle excommunication. Et que quiconque parmi les évêques, les
prêtres, les diacres ou les sous-diacres osera entrer en
communion avec eux soit, jusqu'au synode, tenu pour

des vierges en Afrique aux IVe et Ve siècles, voir Metz, *La consécration
des vierges,* p. 111 et 112.

excommunis habeatur. Et excludatur excusationis ad-
inuentio, quod modo aliquae dicere meditantur, quod
propterea se ueste mutauerint, ne eas inferiores personae
macularent, cum non solum domni gloriosae memoriae
Childebertus et Chlotcharius reges constitutionem legum
de hac re custodierint et seruauerint, quam nunc domnus
Charibertus rex successor eorum praecepto suo roborauit,
ut nullus ullam nec puellam nec uiduam absque parentum
uoluntate trahere aut accipere praesumat. Quaecumque
enim timet uiolentiam et non uult habere maritum, re-
fugiat ad ecclesiam, donec propinqui possint eam principis imperio aut sacerdotis uel ecclesiae beneficio liberare
et defensare ac condigno sociare marito ; nam quae se
ueste mutauerit, absque dolo in eo proposito, quod
disposuit, perseuerare procuret. Illud uero, quod aliqui
dicunt : Vidua, quae benedicta non fuit, quare non debet
maritum accipere ? Sed omnes sciunt, quod numquam in
canonicis libris legitur benedictio uidualis, quia solus
propositus illi sufficere debet, sicut in Epaunenses canones
a papa Auito uel omnibus episcopis conscriptum est :
« Viduarum consecrationem, quas diaconas uocitant, ab
omni religione nostra penitus abrogamus », et expressius
decretum est in synodo Arelatense : « Professas uiduas,
si coniuentiam prestiterint, cum raptoribus esse damnan-
das. » In prophetis legitur, quia de alienigenis contra
interdicta Dei Hebrei sortiti fuissent uxores, populum
Dei a gentibus superatum ; post, predicante propheta

1. Référence possible aux articles 7 et 8 d'un capitulaire de Clotaire
Ier, des années 558-561 : cf. DE CLERCQ, *Législation,* p. 36 et 37.
2. Caribert est mort à la fin de l'année 567.
3. Ce document est inconnu.
4. Canon 21 du concile d'Épaone. MAASSEN et DE CLERCQ ont
adopté, pour ce canon d'Épaone, la leçon *ab omni regione nostra,* mais
de fait plusieurs mss donnent la leçon *ab omni religione nostra* que
lisaient les Pères de Tours.

excommunié par tous les évêques. Qu'on écarte l'excuse imaginaire que parfois certaines sont prêtes à donner, à savoir qu'elles ont changé de vêtement par crainte d'être souillées par des gens de basse condition ; en effet, non seulement nos seigneurs de glorieuse mémoire les rois Childebert et Clotaire ont gardé et maintenu à ce sujet la disposition légale que voici[1], mais à présent notre seigneur le roi Caribert[2], leur successeur, l'a confirmée par un précepte[3] : que personne ne se permette d'attirer ou de prendre aucune jeune fille ni veuve sans le consentement de ses parents. Que celle par conséquent qui craint de souffrir violence et ne veut pas accepter un mari cherche refuge à l'église, jusqu'à ce que ses proches puissent, sur l'ordre du prince ou par la faveur de l'évêque ou de l'église, la libérer, la défendre et l'unir à un mari convenable ; et pour celle qui a changé son vêtement, qu'elle veille à persévérer sans feinte dans le propos qu'elle a choisi. D'autre part, certains objectent : La veuve qui n'a pas été bénie, pourquoi doit-elle ne pas se marier ? Mais tout le monde sait que jamais on ne lit dans les livres liturgiques une bénédiction pour une veuve ; son seul propos doit lui suffire, comme l'écrivent dans les canons d'Épaone le pape Avit et tous les évêques : « Nous abrogeons totalement dans toute notre discipline religieuse la consécration des veuves que l'on appelle diaconesses[4] » ; et comme le décrète plus expressément le concile d'Arles : « Les veuves qui ont fait profession, si elles ont donné leur consentement, doivent être condamnées avec leurs ravisseurs[5]. » On lit chez les prophètes que c'est parce que les Hébreux avaient pris leurs épouses parmi les étrangères, contrairement aux défenses divines, que le peuple de Dieu fut vaincu par les païens ; qu'ensuite, parce qu'à la parole du prophète

---

5. Collection dite du « IIe concile d'Arles » (c. 46).

quia dimisere uxores et filios et separauerunt se de inlicitis coniugiis, statim uictoria fuisse secuta. Quicumque ergo de laicis ingenuus cum talibus excommunicatis participari praesumpserit, excommunem se esse cognoscat.

22 (21). De incestis uero censuimus statuta canonum uetera non irrumpi ; satis enim facimus, si in hac parte statuta prisca seruemus. Sed propterea fuit iterare necessarium, quia dicunt plures, quasi quod praecessorum neglegentia sacerdotum illis non fuisset apertum ; sed reuera mentiuntur, cum sciamus tales et tantos uiros nullatenus huic neglegentiae subiacuisse, sed hoc, quod scripturae sanctae testantur, assidue praedicasse. Propterea placuit etiam de uoluminibus librorum pauca perstringere et in canonibus inserere, ut scarpsa lectio de aliis libris in unum recitetur ad populum. Sic enim Dominus locutus est : « Custodite leges meas atque iudicia, quae faciens homo uiuit in eis. Ego Dominus. Omnis homo ad proximam sanguinis sui non accedat, ut reuelet turpitudinem eius. Ego Dominus. Turpitudinem patris tui et turpitudinem matris tuae non discoperies ; mater tua est, non reuelabis turpitudinem eius. Turpitudinem uxoris patris tui non discoperies ; turpitudo enim patris tui est. Turpitudinem sororis tuae ex patre siue ex matre, quae domi uel foris generata est, non reuelabis. Turpitudinem filiae filii tui uel neptis ex filia non reuelabis, quia turpitudo tua est. Turpitudinem filiae uxoris patris tui, quam peperit patri tuo, id est soror tua, non reuelabis. Turpitudinem sororis patris tui non discoperies, quia caro sit patris tui. Turpitudinem sororis matris tuae non reuelabis, eo quod sit caro matris tuae. Turpitudinem patris

ils renvoyèrent leurs femmes et leurs fils et se retirèrent
de ces unions interdites, la victoire s'ensuivit aussitôt.
Par conséquent, que tout laïque de condition libre qui
ose entrer en communion avec de tels excommuniés sache
qu'il est lui-même excommunié.

22 (21). Au sujet des incestes, nous avons décidé de
ne pas rompre avec les dispositions des anciens canons ;
il nous suffit en effet de respecter sur ce point les antiques
statuts. Mais il a paru nécessaire de répéter ceux-ci, car
beaucoup de gens prétendent qu'ils n'en ont pas eu
connaissance par suite de la négligence des évêques nos
prédécesseurs. A la vérité, ils mentent, car nous savons
que tant et de tels personnages n'ont été aucunement
sujets à pareille négligence, mais qu'ils ont prêché
constamment ce qu'attestent les saintes Écritures. C'est
pourquoi il a paru bon également d'extraire des livres
quelques passages et de les insérer dans nos canons :
ainsi pourra être faite en une seule fois aux fidèles une
lecture abrégée tirée d'autres livres. Voici en effet
comment le Seigneur a parlé : « Gardez mes lois et mes
jugements : l'homme qui les accomplit y trouve la vie. Je
suis le Seigneur. Tu ne découvriras pas la nudité de ton
père ni la nudité de ta mère : c'est ta mère, tu ne
découvriras pas sa nudité. Tu ne découvriras pas la
nudité de la femme de ton père : c'est la nudité de ton
père. Tu ne découvriras pas la nudité de ta sœur, soit
de père soit de mère, née à la maison ou au dehors. Tu
ne découvriras pas la nudité de la fille de ton fils, ni de
la petite-fille née de ta fille, parce que c'est ta nudité à
toi. Tu ne découvriras pas la nudité de la fille de la
femme de ton père, engendrée de ton père : elle est ta
sœur. Tu ne découvriras pas la nudité de la sœur de ton
père, car elle est la chair de ton père. Tu ne découvriras
pas la nudité de la sœur de ta mère, car elle est la chair
de ta mère. Tu ne découvriras pas la nudité du frère de

tui non reuelabis nec accedes ad uxorem eius, quae tibi
affinitate coniungitur. Turpitudinem nurus tuae non reuelabis, quia uxor filii tui est ; non discoperies ignominiam
eius. Turpitudinem uxoris fratris non reuelabis, quia
turpitudo fratris est. Turpitudinem sororis tuae et filiae
eius non reuelabis. Filiam filiae eius et filiam filiae illius
non sumes, ut reueles ignominiam eius, quia caro eius
sunt et talis coitus incestus est. Sororem uxoris tuae in
pellicatum illius non accipies nec reuelabis turpitudinem
eius. Cum uxore proximi tui non coibis nec seminis
commixtione maculaueris[l]. Maledictus homo, qui facit
sculptile et conflatile, abominationem Domino, opus ma-
nuum artificum ponetque illud in abscondito, et respon-
debit omnis populus amen. Maledictus, qui non honorat
patrem suum et matrem, et dicit omnis populus amen.
Maledictus, qui transfert terminos proximi sui, et dicit
omnis populus amen. Maledictus, qui errare facit caecum
in itinere, et dicit omnis populus amen. Maledictus, qui
peruertit iudicium aduenae, pupillae et uiduae, et dicit
omnis populus amen. Maledictus, qui dormit cum uxori
patris sui et reuelat operimentum lectuli eius, et dicit
omnis populus amen. Maledictus, qui dormit cum sorore
sua, filia patris sui siue matris suae, et dicit omnis
populus amen. Maledictus, qui dormit cum socru sua, et
dicit omnis populus amen. Maledictus, qui clam percusserit proximum suum, et dicit omnis populus amen[m]. »
— Itemque ait sacra sententia legum, quae in hac expla-
natione omni homini, tam docto quam indocto, aperta
est, « ut quisque ille aut sororis aut fratris filiam aut
certe gradu consobrinam aut certe fratris uxorem scele-
ratis sibi nuptiis iunxerit, huic poenae subiaceat, ut de

l. Cf. Lév. 18, 5-18.20
m. Cf. Deut. 27, 15-20.22-24

---

1. Nous corrigeons *patris* en *patrui*.
2. *C. Th.* 3, 12, 3, *interpr.*

ton père[1] et tu ne t'approcheras pas de sa femme, car elle t'est liée par l'affinité. Tu ne découvriras pas la nudité de ta belle-fille (*nurus*), car elle est la femme de ton fils ; tu ne découvriras pas sa nudité. Tu ne découvriras pas la nudité de la femme de ton frère, car c'est la nudité de ton frère. Tu ne découvriras pas la nudité de ta sœur et de sa fille. Tu ne prendras pas la fille de son fils ni la fille de sa fille pour découvrir sa nudité, car elles sont sa chair, et une telle union est un inceste. Tu ne prendras pas la sœur de ta femme en la séduisant et tu ne découvriras pas sa nudité. Tu n'auras pas de rapport avec la femme de ton prochain et tu ne la souilleras pas de ta semence[1]. Maudit l'homme qui fabrique une idole sculptée et fondue, abomination pour le Seigneur, travail des mains de l'artisan et qu'il met en un lieu caché ; et tout le peuple répondra : Amen. Maudit celui qui n'honore pas son père et sa mère ; et tout le peuple dit : Amen. Maudit celui qui déplace les bornes de son voisin ; et tout le peuple dit : Amen. Maudit celui qui égare l'aveugle sur le chemin ; et tout le peuple dit : Amen. Maudit celui qui fausse le jugement de l'étrangère, de l'orpheline et de la veuve ; et tout le peuple dit : Amen. Maudit celui qui dort avec la femme de son père et qui retire la couverture de son lit ; et tout le peuple dit : Amen. Maudit celui qui dort avec sa sœur, fille de son père ou de sa mère ; et tout le peuple dit : Amen. Maudit celui qui dort avec sa belle-mère (*socrus*) ; et tout le peuple dit : Amen. Maudit celui qui frappe en secret son prochain ; et tout le peuple dit : Amen[m]. » — De même, la sacrée disposition des lois, dont l'énoncé est ici accessible à tout homme, qu'il soit instruit ou ignorant, déclare : « Que celui qui contracte une union scélérate avec la fille de sa sœur ou de son frère, ou bien avec sa cousine à quelque degré, ou bien avec la femme de son frère, soit soumis à cette peine qu'il rompe une telle union[2] », etc. Et cette autre : « Que toute femme qui

tali consortio separetur », et reliqua. — Item alia :
« Quaecumque mulier sororis suae maritum post illius
mortem acceperit uel, si quis ex uiris mortua uxore
sororem eius aliis nuptiis sibi coniunxerit, nouerit tali
consortio se esse notabilem. » In synodo Aurelianense,
quam inuictissimus rex Chlotueus fieri supplicauit, sic
decretum est : « Ne superstes frater torum defuncti fratris
ascendat ; ne sibi quisque amissae uxoris sororem audeat
sociare. Quod si fecerit, ecclesiastica districtione feriantur. » In Epaunenses canones a papa Auito uel reliquis
episcopis constitutum est : « Incestis coniunctionibus nihil
prorsus ueniae reseruamus, nisi cum adulterium separatione sanauerint. Incestus uero nec ullo coniugii nomine
praeuelandos praeter illos, quos dinumerare funestum est,
hos esse censuimus : ut, si quis relictam fratris, quae
paene prius soror extiterat, carnali coniunctione uiolaue-
rit ; si quis frater germanam uxoris suae acceperit ; si
quis nouercam duxerit ; si quis consobrinae sobrinaeque
se societ, ab ecclesia segregetur ; et sicut a presente
tempore prohibemus, ita ea, que sunt anterius instituta,
non soluimus : ne quis relictae auunculi misceatur aut
patrui aut priuignae concubitu polluatur. Sane quibus
coniunctio illicita interdicitur, habebunt ineundi melioris
coniugii facultatem. » — In canones Aruernos a beatis-
simis patribus sic habetur insertum : « Si quis relictam
fratris, sororem uxoris, priuignam, consobrinam sobri-
namue, relictam idem patrui atque auunculi carnalis
contagii crediderit consortio uiolandam et sacrilege auctoritatem diuinae legis ac iura naturae perruperit et, cui
caritatis ac affectus solatium exhibere debuerat, pudicitiae

---

1. *C. Th.* 3, 12, 4, *interpr.*
2. Voir le c. 18 du concile d'Orléans I.
3. Voir le c. 30 du concile d'Épaone.

épouse le mari de sa sœur après la mort de celle-ci, ou
tout homme qui, après la mort de sa femme, épouse la
sœur de celle-ci, se sache noté d'infâmie pour une telle
union [1]. » — Au concile d'Orléans tenu par l'invitation
de l'invincible roi Clovis, il a été décrété ceci : « Que le
frère survivant n'épouse pas la femme de son frère défunt ; que nul n'ose épouser la sœur de sa femme défunte.
S'ils le font, qu'ils soient frappés de sanctions
ecclésiastiques [2]. » Dans les canons d'Épaone a été établi
ceci par le pape Avit et les autres évêques : « Nous
n'accordons aucune sorte de pardon aux conjoints inces-
tueux tant qu'ils ne remédient pas à l'adultère par la
séparation. Et nous considérons comme incestes, qui ne
peuvent nullement se prévaloir du nom de mariage —
sans parler de ceux qu'il est funeste d'énumérer — les
cas suivants : si quelqu'un abuse, par une relation charnelle, de la veuve de son frère, qui auparavant était
presque sa sœur ; si quelqu'un prend la propre sœur de
sa femme ; si quelqu'un épouse sa belle-mère (*nouerca*).
Si quelqu'un s'unit à sa cousine germaine ou issue de
germaine, qu'il soit séparé de l'Église : ce cas nous le
prohibons à partir de maintenant, mais nous ne rompons
pas les unions conclues dans le passé. Et que personne
ne s'unisse à la veuve de son oncle paternel ou maternel,
ou se souille en couchant avec sa belle-fille (*priuigna*).
Certes, ceux à qui une union illicite est interdite, auront
la liberté de contracter de meilleurs mariages [3]. » — Dans
les canons d'*Aruerna,* voici ce qui a été inséré par les
bienheureux Pères : « Si quelqu'un se permet de violer
par le lien d'une souillure charnelle la veuve de son frère,
la sœur de sa femme, sa belle-fille (*priuigna*), sa cousine
germaine ou issue de germaine, ainsi que la veuve de
son oncle paternel ou maternel, et que, de façon sacrilège,
il transgresse l'autorité de la loi divine et le droit de la
nature ; et s'il se risque à faire violence à celle à qui il

expugnator uim inferre temptauerit, apostolicae constitutionis sententia feriatur et, quamdiu in tanto uersatur
scelere, a christiano coetu atque conuiuio uel ecclesiae
matris communione priuabitur. » — Nos hoc, quod
patres nostri statuerunt, in omnibus roboramus, quia
praecepto Domini apostolo praedicante docemur, ut a
nobis filii nostri seueritate potius corrigantur, quam
ignaua tepiditate ad perpetranda grauiora laxentur, ut
ait : « Quid uultis ? in uirga ueniam ad uos, an in caritate
et spiritu mansuetudinis ? Omnino auditur inter uos fornicatio, et talis fornicatio, qualis nec inter gentes, ita ut
uxorem patris sui aliquis habeat. Et uos inflati estis et
non magis luctum habuistis, ut tollatur de medio uestrum, qui hoc opus fecit. Ego quidem absens corpore,
praesens autem spiritu iam iudicaui ut praesens eum, qui
sic operatus est, in nomine Domini nostri Iesu Christi
congregatis uobis et meo spiritu cum uirtute Domini
nostri Iesu Christi eum, qui talis est, tradere satanae in
interitu carnis, ut spiritus saluus sit in die Domini nostri
Iesu Christi[n]. » Ergo quia dixit apostolus : « Imitatores
mei estote, sicut et ego Christi[o] », non nos presumptiosos
existimet homo, si sequentes apostolum quemquam ab
ecclesia segregamus, donec reminiscatur et reuertatur ad
uitam, quam per Dominum nostrum Iesum Christum et
baptismum meruit habere perpetuam, ne non peccato
faciente nec diabolo persuadente perdat et baptismi gratiam et uitam aeternam.

n. I Cor. 4, 21 - 5, 5
o. I Cor. 11, 1

aurait dû témoigner les attentions de la charité et de l'affection, en violateur de la pudeur : qu'il soit frappé de la sentence du décret de l'Apôtre, et privé, aussi longtemps qu'il vit dans un tel forfait, de l'assemblée et de la table des chrétiens et de la communion de notre mère l'Église [1]. » — Quant à nous, ce que nos Pères ont établi, nous le confirmons en tous points, car la prédication de l'Apôtre nous a enseigné le précepte du Seigneur, à savoir que mieux vaut pour nos fils être corrigés par nous avec sévérité que d'être incités par la mollesse et la tiédeur à commettre des fautes plus graves. Il dit en effet : « Que voulez-vous ? Que je vienne à vous avec des verges, ou avec charité et en esprit de douceur ? On n'entend parler que de fornication parmi vous, et d'une fornication telle qu'elle n'existe même pas chez les païens, à ce point que quelqu'un possède la femme de son père ! Et vous vous rengorgez, et vous n'avez pas plutôt pris le deuil pour qu'on fasse disparaître du milieu de vous celui qui a agi ainsi ! Moi, absent matériellement, mais présent en esprit, j'ai déjà jugé, comme si j'étais présent, celui qui agit ainsi : que vous-mêmes étant assemblés et mon esprit avec vous au nom de notre Seigneur Jésus Christ, un tel homme soit, avec la puissance de notre Seigneur Jésus Christ, livré à Satan pour la perte de sa chair, afin que l'esprit soit sauvé au jour de notre Seigneur Jésus Christ[n]. » Donc, puisque l'Apôtre dit : « Soyez mes imitateurs, comme je le suis du Christ[o] », qu'on ne nous estime pas présomptueux si, suivant l'exemple de l'Apôtre, nous séparons quelqu'un de l'Église jusqu'à ce qu'il se souvienne et revienne à la vie qu'il a mérité, par notre Seigneur Jésus Christ et par le baptême, de posséder éternellement. Qu'ainsi il ne perde pas, par l'effet du péché et l'insinuation du diable, à la fois la grâce du baptême et la vie éternelle.

1. Voir le c. 12 du concile de Clermont.

23 (22). Enimuero quoniam cognouimus nonnullos inueniri sequipedas erroris antiqui, qui kalendas Ianuarii colunt, cum Ianus homo gentilis fuerit, rex quidem, sed esse Deus non potuit : quisquis ergo unum Deum Patrem regnantem cum Filio et Spiritu sancto credit, non potest integer christianus dici, qui super hoc aliqua de gentilitate custodit. Sunt etiam qui in festiuitate cathedrae domni Petri intrita mortuis offerunt et post missas redeuntes ad domos proprias ad gentilium reuertuntur errores et post corpus Domini sacratas daemoni escas accipiunt. Contestamur illam sollicitudinem tam pastores quam presbiteros gerere, ut, quoscumque in hac fatuitate persistere uiderint uel ad nescio quas petras aut arbores aut ad fontes, designata loca gentilium, perpetrare, quae ad ecclesiae rationem non pertinent, eos ab ecclesia sancta auctoritate reppellant nec participare sancto altario permittant, qui gentilium obseruationes custodiunt. Quid enim daemonibus cum Christo commune, cum magis sumenda indicium delicta uideantur addere, non purgare.

24 (23). Et licet libros Ambrosianos habeamus in canone, tamen quoniam reliquorum sunt aliqui, qui digni sunt forma cantari, uolumus libenter amplectere praeterea, quorum auctorum nomina fuerint in limine prenotata ; quoniam, quae fide constiterint, dicendi ratione non obstant.

25 (24). Illud quoque, quamquam priorum canonum sit auctoritate prefixum, quod, dum inter se saeuiunt domni nostri ac malorum hominum stimulo concitantur

---

1. Cf. F. Cabrol, art. « Chaire de saint Pierre », *DACL* III, 1 (1913), col. 77.

2. Cf. S. Bäumer, *Histoire du Bréviaire* (trad. R. Biron), Paris 1905, t. II, p. 34, qui corrige *libros* en *hymnos*.

23 (22). Nous avons appris, en vérité, qu'il se trouve certaines gens, adeptes de l'antique erreur, qui fêtent les calendes de janvier, alors que Janus fut un païen : c'était un roi, certes, mais il ne pouvait être Dieu. Or quiconque croit en un seul Dieu, le Père régnant avec le Fils et l'Esprit, ne peut être dit intégralement chrétien s'il observe, sur ce point-là, des usages du paganisme. Il y a aussi des gens qui, à la fête de la Chaire de saint Pierre, offrent des potages aux morts [1], et qui, rentrant à la maison après la messe, retournent aux erreurs des païens et prennent, après le Corps du Seigneur, des mets consacrés aux démons. Nous conjurons tant les pasteurs que les prêtres de veiller attentivement à ce que, s'ils voient des gens persister dans cette sottise, ou accomplir auprès de je ne sais quelles pierres ou arbres ou sources, lieux choisis par les païens, des rites incompatibles avec l'esprit de l'Église, ils les chassent de l'église par leur sainte autorité et ne laissent pas participer au saint autel ceux qui gardent des observances païennes. Qu'y a-t-il en effet de commun entre les démons et le Christ ? C'est là ajouter aux délits qui méritent condamnation plutôt que les effacer.

24 (23). Bien que nous utilisions dans la liturgie les hymnes ambrosiennes [2], puisqu'il en existe pourtant certaines autres qui, par leur forme, sont dignes d'être chantées, nous accueillons volontiers, outre celles-là, celles qui portent en tête les noms de leurs auteurs : en effet, celles qui sont œuvre de foi n'arrêtent pas par leur style.

25 (24). Voici encore, bien qu'il ait déjà été prescrit par l'autorité des anciens canons, un point que nous jugeons devoir être observé inviolablement : que, lorsque nos seigneurs s'attaquent mutuellement et se font la

et alter alterius res rapida cupiditate peruadit, non ista
caduca actione, qua inter sese agunt, ecclesiastica rura
contingere aut contaminare praesumant, inuiolabiliter obseruandum censemus : ut, quicumque tam ecclesiae quam
episcopi res proprias, quae et ipsae ecclesiae noscuntur,
quas pontifex actoribus ecclesiae dinoscitur assignasse,
uel abbatum aut monasteriorum siue presbyterorum quaqua temeritate peruadere, competere uel confiscare praesumpserit, tunc, reseruato correctionis hoc loco adhuc,
presbitero eiusdem ecclesiae, cuius interest, peruasorem
conuenit admonere et, si restitutionem distulerit, adhuc
quasi filius ab omnibus fratribus ad reddendum missis
epistulis compellatur. Qui si pertinaciter in peruasione
perstiterit et se tollere post tertiam commonitionem de
reicula aut ecclesiae aut propria noluerit, conueniant
omnes omnino una coniuentia simul cum nostris abbatibus ac presbyteris uel clero, qui stipendiis ex ipso
alimento pascuntur, et, quia arma nobis non sunt altera,
auxiliante Christo circumsepto clericali choro necatori
pauperum, qui res peruadit ecclesiae, psalmus CVIII di-
catur, ut ueniat super eum illa maledictio, quae super
Iudam uenit, qui, dum loculos faceret, subtrahebat pauperum alimenta ; ut non solum excommunis, sed etiam
anathema moriatur et coelesti gladio feriatur, qui in
despectu Dei et ecclesiae et pontificum in hac peruersione
praesumit assurgere. Illud etiam annecti placuit, ut, qui
de fratribus ad dandum solatium uenire pro certa infirmitatis necessitate non potuerit, abbates et presbyteros
in uice sua transmittat. Qui si praeter certam infirmitatis
excusationem commonitus aut uenire aut transmittere
noluerit, remotum se a fratrum caritate esse cognoscat.
Nam, quod quidem non credimus, si quis contra decreta

guerre, poussés par de mauvais conseillers, et que l'un envahit le domaine de l'autre avec une cupidité rapace, ils ne se permettent pas, au cours de l'opération destructrice qu'ils mènent l'un contre l'autre, de toucher aux domaines ecclésiastiques ou de les endommager. Si donc quelqu'un se permet témérairement d'envahir, revendiquer ou confisquer les propriétés de l'église, aussi bien que celles de l'évêque — qui elles aussi relèvent de l'église —, celles que le pontife a attribuées aux agents de l'église, ou celles des abbés, des monastères ou des prêtres, il faut que le prêtre de l'église intéressée admoneste l'usurpateur, en lui offrant encore la possibilité de s'amender. S'il diffère la restitution, qu'il soit, comme un fils encore, sommé par lettres par tous les évêques (*fratres*) de restituer. S'il persiste obstinément dans son usurpation et qu'il refuse, après une troisième monition, de se retirer d'une propriété (*reicula*), soit de l'église, soit personnelle, qu'absolument tous, unanimement, se réunissent, avec nos abbés, nos prêtres et nos clercs, qui vivent de dotations prises sur ces ressources, et, puisque nous n'avons pas d'autres armes, qu'avec l'aide du Christ, dans le cercle du chœur des clercs, soit dit sur l'assassin des pauvres, qui usurpe les biens de l'église, le psaume 108, et que vienne sur lui la malédiction venue sur Judas, qui, tenant la bourse, subtilisait les ressources des pauvres ; qu'il meure, non seulement excommunié, mais encore anathème, et soit frappé du glaive céleste, puisque, au mépris de Dieu, de l'Église et des pontifes, il ose s'élever à un tel degré de perversion. De plus, il a paru bon d'ajouter que si quelqu'un des frères ne peut, contraint par une infirmité reconnue, venir apporter son appui, il délègue à sa place des abbés et des prêtres. Et si, mise à part l'excuse d'une infirmité reconnue, il se refuse, étant averti, à venir ou à envoyer des délégués, qu'il se sache exclu de la communion des frères. Si d'autre part, ce que nous nous refusons à croire, quelqu'un, au mépris de

nostra tali temeratori communicare praesumpserit, in se causam excommunicationis transformet et cum eodem se a caritate omnium sacerdotum cognoscat esse remotum.

26 (25). Placet itaque ac omnibus nobis conuenit obseruare, ut, quia nonnulli memores sui per quaslibet scripturas pro captu animi de facultatibus suis ecclesiis quid contulisse probantur, quod a diuersis Deum minus timentibus eatenus mortifera calliditate tenetur, ut aliorum oblatio illis pertineat ad ruinam nec intueri corde possint diem iudicii, dum nimiae cupiditatis delectantur ardore : quicumque ergo immemor interitus sui res ecclesiis, ut supra diximus, delegatas iniuste possidens praesumpserit retinere et ueritate comperta res Dei seruis suis dissimulauerit reformare, ab omnibus ecclesiis segregatus a sancta communione habeatur extraneus nec alium mereatur habere remedium, nisi cum culpam propriam rerum emendatione purgauerit. Indigne enim ad altare Domini properare permittitur, qui res ecclesiasticas et audet rapere et iniuste possidere iniqua defensione perdurat ; necatores enim pauperum iudicandi sunt, qui eorum taliter alimenta subtraxerint. Sacerdotalis tamen debet esse prouisio, ut uindictam admonitio manifesta praecedat, ut res usurpatas iniuste quis tulerit adhibita aequitate restituat. Quod si neglexerit et necessitas compulerit, postea praedonem sacerdotalis districtio maturata percellat. Neque quisquam per interregna res Dei defensare nitatur, quia Dei potentia cunctorum regnorum terminos singulari dominatione concludit.

---

1. Le c. 25 figure chez Benoît le Lévite (II, 428).

2. Voir le c. 1 du concile de Paris III. Les 2 textes sont identiques par le fond et aussi par la forme : le fait a son importance pour la datation de ce concile de Paris. — Le c. 26 figure chez Benoît le Lévite (II, 428).

nos décrets, osait entrer en communion avec un tel
scélérat, qu'il s'applique à lui-même le motif d'excommunication et sache qu'il se trouve, avec cet homme,
exclu de la communion de tous les évêques [1].

26 (25). Nous décidons encore ceci, qu'il convient que
nous observions tous. Certains, pensant à leur salut, ont
attribué aux églises par un acte écrit, du mieux qu'ils
ont pu, une part de leurs biens. Or d'autres, dépourvus
de crainte de Dieu, retiennent cette part avec une malice
pernicieuse, si bien que l'offrande d'autrui sert à leur
perte, sans qu'ils soient capables d'envisager dans leur
cœur le jour du jugement, tant ils sont séduits par la
passion d'une cupidité démesurée. Ainsi donc, que quiconque, insoucieux de sa propre mort, lorsqu'il possède
injustement des biens légués aux églises, ose les retenir,
et, la preuve une fois faite, se refuse à restituer le bien
de Dieu aux serviteurs de Dieu, soit exclu de la sainte
communion et tenu pour étranger par toutes les églises ;
et qu'il ne lui reste pas d'autre moyen d'obtenir son
pardon que de laver sa faute par la restitution de ces
biens. Il est indigne en effet de laisser s'approcher de
l'autel quelqu'un qui ose s'emparer de biens d'Église et
qui persiste à les conserver indûment sous d'injustes
prétextes, car il faut tenir pour des assassins des pauvres
ceux qui leur soustraient ainsi leur nourriture. L'évêque
doit toutefois veiller à ce qu'une monition bien claire
précède la sanction : que celui qui a pris et usurpé les
biens ait à les restituer selon la justice. S'il refuse et si
la nécessité y contraint, qu'une sanction épiscopale mû-
rement réfléchie frappe ce pillard. Et que personne ne
tente de revendiquer les biens de Dieu en se réclamant
des partages entre royaumes, car la puissance de Dieu
embrasse sous son unique domination tous les
royaumes [2].

27 (26). Vt iudices aut potentes, qui pauperes opprimunt, si commoniti a pontifice suo se non emendauerint, excommunicentur.

28 (27). Nullus episcoporum de ordinationibus clericorum praemia praesumat exigere, quia non solum sacrilegum, sed hereticum est. Sicut in dogmatibus ecclesiasticis habetur insertum, non ordinandum clericum, qui per ambitionem ad imaginem Simonis magi pecuniam offert sacerdoti. Et quia dixit : « Gratis accepistis, gratis date[p]. » Cum talis sit, qui gratiam Dei a sacerdote estimat pretio comparari, qualis ille, qui uendit. Vterque usque ad sinodum ab ecclesia segregetur ; cauta enim est in salute prouisio ad effugiendam culpam delicti aditum delinquendi repelli.

Notaui sub die XV. kalendas Decembris, anno VI. regni domini nostri Chariberthi gloriosissimi regis.

Pretextatus acsi peccator in Christi nomine episcopus ecclesiae Rotomagensis hunc consensum nostrum secundum patrum consensi statuta, relegi et subscripsi sub die XV. kalendas Decembris, Toronus.
Germanus peccator consensi et subscripsi.
Felix peccator consensi et subscripsi.
Chaletricus peccator consensi et subscripsi.
Domitianus peccator consensi et subscripsi.

p. Matth. 10, 8

1. Le c. 27 figure dans : ms. de Bonneval 18, 14 ; Benoît le Lévite II, 418 ; Yves de Chartres, Décret XVI, 4.

2. GENNADE, *De ecclesiasticis dogmatibus* 72 : *Nec eum (ordinandum) qui per ambitionem ad imitationem Simonis magi pecuniam offert* (*PL* 58, col. 997 B).

3. On notera l'omission, accidentelle, du nom d'Euphronius, métropolitain de Tours — il figure dans les documents annexes. Par ailleurs ses suffragants sont loin d'être tous présents, alors que sont venus des

27 (26). Que les juges ou les grands qui oppriment les pauvres, si, après la monition de leur pontife, ils ne se corrigent pas, soient excommuniés [1].

28 (27). Qu'aucun évêque ne se permette d'exiger des gratifications pour les ordinations des clercs, car c'est là une conduite non seulement sacrilège mais hérétique. Ainsi qu'il est écrit dans les *Dogmes ecclésiastiques* [2], il ne faut pas ordonner clerc « celui qui, par ambition, à l'exemple de Simon le magicien, offre de l'argent » à l'évêque. Et il est dit : « Vous avez reçu gratuitement, donnez gratuitement[p]. » Puisque tel est celui qui s'imagine acheter de l'évêque la grâce à prix d'argent, tel celui qui la vend, que tous deux soient exclus de l'Église jusqu'au synode. C'est en effet une sûre garantie de salut, qui préserve de la faute, que d'écarter l'occasion de la faute.

J'ai signé le 15e jour des calendes de décembre, la 6e année du règne de notre seigneur le très glorieux roi Caribert [3].

Prétextat, quoique pécheur, au nom du Christ, évêque de l'église de Rouen, j'ai consenti à notre présent accord selon les statuts des Pères, je l'ai relu et y ai souscrit le 15e jour des calendes de décembre, à Tours.

Germain, pécheur [évêque de Paris], j'ai consenti et souscrit.

Felix, pécheur [évêque de Nantes], j'ai consenti et souscrit.

Chaletricus, pécheur [évêque de Chartres], j'ai consenti et souscrit.

Domitien, pécheur [évêque d'Angers], j'ai consenti et souscrit.

évêques du voisinage appartenant à d'autres provinces : Sens (Paris, Chartres) et Rouen (Rouen et Sées).

Victurius peccator consensi et subscripsi.
Domnulus peccator subscripsi.
Leudobaudis peccator subscripsi.

Epistula episcoporum prouinciae Turonensis ad plebem

Pontificalis est ordinis ad suam sollicitudinem infatigabiliter reuocare, quidquid ad correctionem populorum, immo magis filiorum spiritalium, quantum est fas intellegere, cognouerit pertinere, et non, quod absit, cum suo periculo alienae spei per suam neglegentiam facere detrimentum, si, quod ad generalis salutis spectat conpendium, sedulo necesse est prouidere tractatu. Denique pastor et cum lupo uidetur conniuentiam facere, si permittit rapere, cum possit obstare, praesertim cum sermone prophetico animae commissae plebis requirantur ad singula de manibus sacerdotis[a]. Vnde quantae culpae teneatur reatu dominante subiectus, qui cessat alicui poculum sanitatis porrigere, quod, cum non dedit alteri, se facit extingui et in se uindictam uidetur excipere, de qua crimen alter admisit, cum uix quisquam sufficiat sua flendo facta purgare ?

Sed ne alieni facinoris teneamur adstricti, ecce oris nostri bucina ad aures omnium personamus neque se deinceps excusabit non monitum, qui quid sequi debeat tam uerbis quam litteris edocetur. Sed sicut nos incessabiliter dicere, ita uos decet libenter audire, ut nec nos semen in spinosam segetem uideamur effundere[b] nec uos patiamini sterilis agri culpa dampnari. Sed commune sit gaudium, quod a nobis panditur et a uobis impletur, ut,

a. Cf. Éz. 34, 10
b. Cf. Matth. 13, 7

Victorius, pécheur [évêque de Rennes], j'ai consenti et souscrit.

Domnolus, pécheur [évêque du Mans], j'ai souscrit.

Leudobaudis, pécheur [évêque de Sées], j'ai souscrit.

Lettre des évêques de la province de Tours au peuple

La dignité des pontifes les oblige à appliquer infatigablement leur sollicitude à tout ce qui leur paraît, autant qu'ils peuvent en juger, intéresser la correction de leurs peuples, ou mieux de leurs fils spirituels, et à éviter — loin de là ! — de décevoir, à leur propre détriment, l'espérance d'autrui, du fait de leur négligence. Une sérieuse réflexion est en effet nécessaire pour veiller à ce qui regarde le profit du salut commun. De plus, le pasteur se montre complice du loup lorsqu'il le laisse ravir les brebis alors qu'il pourrait l'en empêcher ; d'autant plus que, selon la parole du prophète, les âmes du peuple confié à l'évêque seront redemandées une par une de ses mains[a]. Quelle grande culpabilité se trouve donc encourir celui qui, cédant au péché, cesse de présenter à autrui le breuvage salutaire : en ne le lui donnant pas, il travaille à sa propre perte et attire sur lui-même la sanction due à la faute d'autrui, alors qu'il est déjà difficile de laver par les larmes ses propres fautes.

Afin donc de n'être pas tenus pour coupables de la faute d'autrui, voici que nous faisons retentir aux oreilles de tous la trompette de notre voix : personne ensuite n'aura l'excuse de n'avoir pas été averti, instruit qu'il est, par nos paroles et par nos lettres, de la conduite à suivre. Et autant nous devons parler sans trève, autant vous devez écouter volontiers, afin que nous ne paraissions pas, nous, jeter la semence dans un champ d'épines[b], et que vous ne souffriez, pas, vous, d'être condamnés pour vous être montrés une terre stérile. Que la joie soit commune : pour nous de semer, pour vous

cum Dominus uniuersae messis aduenerit, et terra de fecunditate et mereatur agricola gloriari de fruge.

Itaque, filii karissimi, qui estis partus diuinae gratiae, beatae fructus ecclesiae, regeneratio baptismi, possessio caeli, membra Christi, redhibitio regni, uestra palma, nobis corona, salubri admonitione opportunum duximus admonere, quoniam peccatorum nostrorum in praecipiti mole crescente uidetur cladis grauissimae necessitas imminere nec alibi refugium inuenire, nisi ad illius praecepta recurrere, qui uitam nostram sua morte uoluit reparare, ut, si qui ex uobis sunt in sponsali pactione deuincti nec adhuc in matrimonii foedere copulati, nuptiarum suarum etsi definitum iam tempus sit, licet apostolo uota nuptialia permittente, nos tamen consilium dantes hortamur, ut iusto moderamine debeant ad praesens differre, duplici conditione compulsi, ut aut ira Domini per castimoniam corporis et sinceritatem cordis oratione assidua ualeat mitigari et, cum tranquillitas obtineri meruerit, tunc sine suspicione interitus possint uota celebrari festiua, aut certe, si hoc ille de nobis placuerit qui condidit, ut quoscumque iusserit de corpore cogantur migrare, uel sit iustae consolationis cautela, ut anima de saeculo non abripiatur immunda nec grauior esse incipiat mors futura, quam erat praesenti de funere, si postmodum pro crimine non poena saeuiret ; nam istud admitteretur facillime, si nos post casum requies inuitaret.

Illud uero instantissime commonemus, ut Abrahae documenta sequentes decimas ex omni facultate non pigeat Deo pro reliquis, quae possidetis, conseruandis offerre,

de réaliser, afin qu'à la venue du Maître de la moisson universelle, à la fois la terre puisse se glorifier de sa fécondité et le cultivateur de sa récolte.

Ainsi donc, fils très chers, qui êtes enfants de la grâce divine, fruits de la sainte Église, renés du baptême, restitués au Royaume, palme de votre propre victoire, couronne de la nôtre, nous avons jugé à propos de vous adresser un avertissement salutaire. Puisque, à cause du poids croissant de nos péchés qui nous entraîne, l'urgence d'un terrible désastre nous menace, et qu'il ne se trouve de refuge nulle part que dans le recours aux préceptes de celui qui a voulu nous rendre la vie par sa mort, ceux d'entre vous qui se sont liés par un contrat de fiançailles et ne se sont pas encore unis par le lien du mariage, même si le jour de leurs noces est déjà fixé, et bien que l'Apôtre permette l'engagement nuptial, doivent cependant, nous le leur conseillons et les y exhortons, user d'une sage conduite en différant pour l'instant ces noces. Une double raison doit les y pousser : ou bien la colère du Seigneur pourra être apaisée par la chasteté du corps et la pureté du cœur, dans la prière assidue, et, une fois la tranquillité obtenue, les engagements solennels pourront être célébrés sans l'appréhension de la mort ; ou alors, si tel est sur nous le bon plaisir de celui qui nous a créés, ceux qu'il voudra seront contraints de quitter leur corps, mais ils auront du moins ce gage d'une digne consolation que leur âme ne sera pas enlevée du monde étant impure, et que la mort à venir ne deviendra pas plus redoutable qu'elle ne le serait à cause du deuil de maintenant si le châtiment pour le péché ne s'exerçait pas ensuite ; car ce deuil, nous l'accepterions très facilement si le repos nous attendait après le trépas.

Nous vous invitons aussi très instamment à suivre l'enseignement d'Abraham et à ne pas craindre d'offrir à Dieu la dîme de toutes vos ressources en vue de

ne sibi ipse inopiam generet, qui parua non tribuit, ut
plura retentet. Et quod dicendum est uerius, suum per-
soluat pretium, ne se trahi uideat peccato dominante
captiuum, quia certe ulterius mercatorem suae ereptionis
non inuenit, qui hic redemptori resistit, cuius uox satis
intonat dicens : « Eleemosyna extinguit peccatum[c] »,
item : « Date eleemosynam et omnia uobis munda
erunt[d]. » Quare autem illi de suis non offeras, quod, cum
dare uideris, non amittas ? Faciat se unusquisque de
rebus alienis gratuitum, ne, cum nihil habeat proprium,
nec alium praeparet inimicum. Ergo si quis in Abrahae
conlocari uult gremio, eiusdem non repugnet exemplo et
soluat eleemosynae pretium, quisquis optat regnare cum
Christo.

Illud etiam repetita uoce monentes hortamur, ut, si
quis alterius caritatis offensam, quod absit, incurrit,
odium uice mutua relaxantes in amplexu uerae concor-
diae festinent iam celerrime conuenire. Quod enim in
uacuum dimitti sibi peccatum desiderat, qui inimici delicta dimittere non exoptat, cum prima sit eleemosyna
non quaerere de peccante uindictam, sed contra reddere
beneficia pro querela ?

Et licet superius dictum sit ad exemplum Abrahae
decimas offerri debere[e], attamen propter cladem, quae
imminet, hortamur, ut etiam unusquisque de suis manci-
piis decimas persoluere non recuset, quia dicitur in illa
infirmitate ad diuisionem nescio quam uenire personas,
quasi nouem auferat, decimam ut relinquat. Vnde satis

c. Sir. 3, 30
d. Lc 11, 41
e. Cf. Gen. 14, 20

conserver le reste de ce que vous possédez : ainsi ne sera pas cause de sa propre indigence celui qui donne peu pour garder davantage. Et pour parler plus vrai, que chacun paie sa propre rançon, de crainte de se voir emmené captif, vaincu par le péché, car celui-là ne trouve personne ensuite pour négocier sa libération qui à présent résiste à son rédempteur, dont la voix résonne clairement lorsqu'il dit : « L'aumône éteint le péché[c] », et encore : « Faites l'aumône, et tout pour vous sera pur[d]. » Pourquoi ne pas lui offrir sur ses propres biens ce qu'on semble donner mais qu'on ne perd pas ? Que chacun se rende libre des biens étrangers, pour qu'ainsi, n'ayant rien en propre, il ne se fasse pas non plus d'autrui un ennemi. Ainsi donc, si quelqu'un veut trouver place dans le sein d'Abraham, qu'il ne répugne pas à suivre son exemple ; et que s'acquitte de l'aumône quiconque souhaite régner avec le Christ.

Également, répétons-le, nous vous invitons et vous exhortons à ce que, si quelqu'un subit de la part d'autrui, ce qu'à Dieu ne plaise, une atteinte à la charité, ils s'empressent de faire trêve à la haine réciproque et de se réconcilier au plus tôt dans l'accolade d'une vraie concorde. Combien il est vain en effet de désirer le pardon de ses propres péchés lorsqu'on n'a aucune envie de pardonner les torts d'un ennemi, puisque la première forme de miséricorde, c'est de ne pas tirer vengeance de qui pèche, mais au contraire, de rendre les bienfaits pour les hostilités.

Et bien qu'il ait été dit plus haut qu'il fallait offrir la dîme à l'exemple d'Abraham[e], nous vous exhortons cependant en raison de la calamité qui menace, à ce que personne ne refuse de payer la dîme même sur ses esclaves, puisqu'on dit que dans cette épidémie les personnes seront soumises à une sorte de partage, comme si elle en prenait neuf pour laisser la dixième. Ainsi il est bien à propos, pour le profit de l'âme, de s'acquitter

congruet cum mercede animae unum soluere, ut nouem
non possit amittere, quam cum peccati crimine et reliquos
perdere et, quem dare noluit, non habere. Quod si mancipia non sint et fuerint aliqui habentes binos aut ternos
filios, per unumquemque singulos tremisses in episcopi
manu contradat aut, quem suo loco pontifex elegerit,
adsignare non dilatet, quod possit in captiuorum re-
demptione conferre, ut, cum sic agitur, et praesentis irae
remotio et merces proficiat in futuro.

Si qui uero incesta se coniunctione uisi sunt copulasse,
in quantum ratio admittit, hortamur etiam et pro salute
uestra rogamus, ut iuxta canonum statuta usque ad
maiorem synodum separentur, ne, si uoluntate implere
distulerint, caelesti, quod absit, facere incipiant ultione.

Quae congrua monita, sicut decet, ab spiritalibus filiis
admonemus in omnibus recipi salubriter et impleri ; quatenus, qui ad bonum opus mentis deuotae respicit, ipse,
quod rogatur, repenset.

In Christi nomine Eufronius episcopus plurimum saluto.

In Christi nomine Domicianus episcopus plurimum
saluto.

In Christi nomine Felix episcopus plurimum saluto.

In Christi nomine Domnolus episcopus plurimum saluto.

d'un esclave pour ne pas risquer d'en perdre neuf, plutôt que, par une faute coupable, à la fois de perdre les autres et de n'avoir pas celui qu'on n'a pas voulu donner. Au cas où on n'aurait pas d'esclaves et où certains auraient deux ou trois fils, que l'on remette pour chacun d'eux un tiers de sou dans la main de l'évêque, ou que l'on ne tarde pas à verser à celui que le pontife aura désigné pour le suppléer ce que l'on peut consacrer au rachat des captifs ; en faisant ainsi, le profit sera double : l'éloignement de la colère présente, et la récompense pour l'avenir.

Si d'autre part, il apparaît que certains se sont unis par une liaison incestueuse, nous vous exhortons aussi, pour autant que les circonstances le permettent, et nous vous engageons, dans l'intérêt de votre salut, à ce que, suivant les règles canoniques, ils se séparent d'ici le grand synode, de crainte que, s'ils omettent de le faire de leur propre volonté, ils aient à le faire, ce qu'à Dieu ne plaise, sous la vindicte céleste.

Ces avis opportuns, comme il convient, nous signifions qu'ils soient en tous points sainement reçus et exécutés par nos fils spirituels, pour qu'ainsi celui qui regarde la bonne intention de l'âme dévote accorde aussi en retour ce qu'on lui demande.

Au nom du Christ, Eufronius, évêque [de Tours], je vous salue vivement.

Au nom du Christ, Domitien, évêque [d'Angers], je vous salue vivement.

Au nom du Christ, Felix, évêque [de Nantes], je vous salue vivement.

Au nom du Christ, Domnolus, évêque [du Mans], je vous salue vivement.

CONCILE DE LYON II [1]
(567-570)

Les actes de ce concile ne nous sont connus que par l'édition de Surius (1567), utilisant un manuscrit perdu. Le concile est daté de la 6e année de Gontran (fin novembre 567 - fin novembre 568) et de la 3e indiction (1er septembre 569 - 31 août 570), sans que l'on puisse opter entre ces données contradictoires.

Peut-être faut-il identifier ce concile de Lyon avec celui dont parle Grégoire de Tours [2], qui fut réuni au temps de l'évêque Nizier, à l'initiative de Gontran, pour statuer sur le cas des évêques Salonius d'Embrun et Sagittarius de Gap, accusés de meurtre et d'adultère. Ces deux évêques furent déposés. Mais, sur l'intervention du roi, ils furent rétablis par le pape Jean III.

Le concile de 567-570 est présidé par le métropolitain de Lyon, Nizier. Les Pères rappellent, dans six canons, des dispositions antérieures concernant les conflits entre évêques (c. 1), les biens des clercs (c. 2 et 5), la réduction en esclavage (c. 3), l'excommunication (c. 4) et les célébrations liturgiques (c. 6). Le procès-verbal est signé par les métropolitains de Vienne et de Lyon et par douze autres évêques ou délégués d'évêques. Le concile n'eut qu'un rayonnement local ; seules les provinces de Lyon, Arles, Vienne et Besançon, qui sont celles du royaume de Gontran, sont représentées.

---

1. Cf. CEILLIER, XI, p. 887 ; HEFELE-LECLERCQ, III[1], p. 182 ; DE CLERCQ, *Législation*, p. 46.
2. *Hist. Franc.* V, 20.

TRANSMISION : Les canons du concile ne figurent dans aucune des collections que nous avons retenues.

DESTINÉE ULTÉRIEURE : Ils ne furent pas davantage utilisés par les canonistes du haut Moyen Age. Seule la *Vetus Gallica* reprend les canons 2, 3, 5 et 6 ; par son intermédiaire la seconde collection de Freising cite les canons 5 et 6.

CONCILIVM LVGDVNENSE
567-570

SYNODVS HABITA IN CIVITATE LVGDVNENSI
ANNO VI REGNI
GLORIOSISSIMI GVNTRAMNI REGIS
INDICTIONE TERTIA

Cum in nomine Domini in Lugdunensi urbe ad synodale concilium uenissemus tam pro renouandis sanctorum
patrum institutis, quae praesentis temporis necessario
fecit opportunitas iterari, quam his, quae assurgentibus
undecumque querelarum materiis recentis definitionis
ordo poposcit institui, tractantes, quid saluti populi uti-
lius competeret uel quid ecclesiasticus ordo salubriter
obseruaret :

1. Primo in loco unitatem sacerdotum, quam et Dominus diligit et scriptura commendat et concordia cha-
ritatis exposcit, conuenit ab omnibus custodiri ; ita ut in
omni tractatu uel definitione uno spiritu, una sententia
sacerdotum constantia perseueret. Et si quid inter fratres,
id est coepiscopos nostros, contentionis ortum fuerit, si
de una prouincia sunt, metropolitani cum comprouincialibus suis iudicio sint contenti ; si uero diuersae prouinciae duo fuerint sacerdotes, inter quos aliqua disceptatio
oriatur, conuenientibus in unum metropolitanis ipsorum
omnis eorum actio illorum iudicio terminetur, ita ut, si
unus ex episcopis ab alio episcopo aut a quacunque
persona inique fuerit aggrauatus, communi fratrum studio cum Dei solatio defensetur. Quod si quis se ab hac
conditione quacunque calliditate subtraxerit, tribus mensibus se a charitate fratrum nouerit esse sequestratum.

CONCILE DE LYON
567-570

CONCILE TENU EN LA CITÉ DE LYON
LA VIe ANNÉE DU RÈGNE
DU TRÈS GLORIEUX ROI GONTRAN
EN LA 3e INDICTION

Comme nous nous étions réunis au nom du Seigneur en assemblée synodale dans la ville de Lyon, autant pour renouveler les statuts des saints Pères que les circonstances présentes obligent à réitérer, que pour statuer sur les points qui, devant les sujets de discussion qui surgissent de toute part, appellent la fixation d'une règle nouvelle, nous avons délibéré de ce qui convenait plus utilement au salut du peuple et de ce que réclamait avantageusement le bon ordre de l'Église.

1. En premier lieu, il convient que l'unité entre évêques, aimée du Seigneur, recommandée par l'Écriture, réclamée par l'union dans la charité, soit gardée par tous, si bien qu'en toute délibération et décision l'accord entre évêques se maintienne dans un unique esprit, un unique sentiment. Et si quelque conflit surgit entre nos frères, c'est-à-dire nos collègues dans l'épiscopat, qu'ils s'en remettent, au cas où ils sont d'une même province, au jugement du métropolitain et de leurs comprovinciaux ; et au cas où les deux évêques entre lesquels surgit un débat sont d'une province différente, que leurs métropolitains se réunissent et que tout leur procès soit tranché par le jugement de ceux-ci. De cette façon, si un évêque a été attaqué injustement par un autre évêque ou quelque personne que ce soit, il sera défendu, avec le secours de Dieu, par l'intervention commune de ses frères. Si quelqu'un vient à se soustraire à cette mesure par une rouerie quelconque, qu'il se sache exclu pour trois mois de la communion de ses frères.

2. Secundo loco, quia multae tergiuersationes infidelium ecclesiam quaerunt collatis priuare donariis, id
conuenit inuiolabiliter obseruari, ut testamenta, quae
episcopi, presbyteri seu inferioris ordinis clerici uel donationes aut quaecunque instrumenta propria uoluntate
confecerint, quibus aliquid ecclesiae aut quibuscunque
conferre uideantur, omni stabilitate subsistant ; id specialiter statuentes, ut, etiamsi quorumcunque religiosorum
uoluntas aut necessitate aut simplicitate aliquid a legum
secularium ordine uisa fuerit discrepare, uoluntas tamen
defunctorum debeat inconcussa manere et in omnibus
Deo propitio custodiri. De quibus rebus si quis animae
suae contemptor aliquid alienare praesumpserit, usque
ad emendationis suae uel restitutionis rei ablatae tempus
a consortio ecclesiastico uel omnium christianorum
conuiuio habeatur alienus.

3. Et quia peccatis facientibus multi in perniciem animae suae ita conati sunt aut conantur assurgere, ut
animas longa temporis quiete sine ulla status sui compe-
titione uiuentes nunc improba proditione atque traditione
aut captiuauerint aut captiuare conentur, si iuxta praeceptum domini regi emendare distulerint, quousque hos,
quos abduxerunt, in loco, in quo longum tempus quiete
uixerunt, restaurare debeant, ecclesiae communione
priuentur.

4. Illud etiam, quod sancti patres salubriter ordina-
runt, placuit iterari, ut, si quicunque episcopus pro reatu
aliquo quenquam a communione suspenderit, apud

1. Nous n'avons pas trouvé trace d'une telle disposition dans les
canons des conciles antérieurs.
2. Le c. 2 est reproduit par le c. 12 (10) du concile de Paris V. —
Il figure dans la *Vetus Gallica* 35, 6.

2. En second lieu, puisque de nombreuses machinations de gens infidèles visent à priver l'Église des donations à elle attribuées, il convient d'observer inviolablement ceci : que les testaments, comme aussi les donations ou tous autres actes, qu'ont rédigés de leur propre volonté des évêques, des prêtres ou des clercs des ordres inférieurs, et par lesquels ils confèrent un bien à l'Église ou à qui que ce soit, demeurent pleinement valables. Nous spécifions que, même si les volontés de quelques hommes d'Église (*religiosi*) se trouvent, par nécessité ou par ignorance, s'écarter sur un point des règles fixées par les lois séculières, les volontés des défunts doivent néanmoins demeurer intangibles et être respectées en tout point, avec l'aide de Dieu[1]. Si, de ces biens, quelqu'un, au mépris de son âme, ose détourner une part, qu'il soit, jusqu'au jour de son amendement et de la restitution du bien volé, tenu à l'écart de la communauté de l'Église et de la table commune des chrétiens[2].

3. Et puisque, par l'effet du péché, beaucoup, pour la perte de leur âme, ont essayé ou essaient de parvenir à réduire, ou à tenter de réduire, à présent en captivité, par injuste traîtrise et trahison, des âmes qui vivaient tranquilles depuis longtemps sans aucune mise en question de leur condition, que ces gens-là, s'ils omettent de s'amender selon le précepte du roi notre seigneur, soient, jusqu'à ce qu'ils aient rétabli les hommes qu'ils ont emmenés au lieu où ils ont longtemps vécu en paix, privés de la communion de l'Église[3].

4. Il a aussi été décidé de réitérer la mesure suivante, que les saints Pères ont salutairement prescrite : si un évêque a, pour quelque faute, suspendu quelqu'un de la communion, que celui-ci soit tenu par tous les évêques

---

3. Le c. 3 figure dans la *Vetus Gallica* 50, 5.

omnes sacerdotes eatenus a communione habeatur alienus usquequo eius iuidicio debeat recipi, a quo meruerat pro reatu suo a charitate ecclesiastica sequestrari.

5. Et quia multa sunt ecclesiae membra, quae diuerso genere pro uitae suae qualitate uel discretione sacerdotali aut oblectari conuenit aut distringi, illud censuimus statuendum, ut, quascunque munificentias clericis aut seruientibus siue de rebus ecclesiae in usum aut de propriis in proprietatem praecedentes dederint sacerdotes, subsequentes pontifices nullatenus auferre praesumant. Si quid tamen culpae extiterit, pro qualitate personarum uel regula canonum praecedentium in persona habeatur, non in facultate districtio.

6. Placuit etiam uniuersis fratribus, ut in prima hebdomada noni mensis, hoc est ante diem dominicam, quae prima in ipso mense illuxerit, litaniae, sicut ante ascensionem Domini sancti patres fieri decreuerunt, deinceps ab omnibus ecclesiis seu parochiis celebrentur.

Subscriptiones episcoporum :

Philippus in Christi nomine episcopus ecclesiae Viennensis constitutionibus nostris subscripsi.

Nicetius in Christi nomine episcopus ecclesiae Lugdunensis constitutionibus nostris subscripsi.

Agricola in Christi nomine episcopus ecclesiae Cabilonensis constitutionibus nostris subscripsi.

Vincentius in Christi nomine episcopus ecclesiae Belisensis constitutionibus nostris subscripsi.

---

1. *Seruientes :* agents laïcs de l'Église.
2. Le c. 5 figure dans la *Vetus Gallica* 33.
3. Novembre.

comme étranger à la communion, jusqu'à ce qu'il soit réintégré par le jugement de celui par qui il avait été, pour sa faute, exclu de la communion de l'Église.

5. Et puisque nombreux sont les membres de l'Église qu'il convient de favoriser ou de sanctionner de façon diverse d'après le mérite de leur vie et l'appréciation de l'évêque, voici ce que nous avons décidé de fixer : pour toutes les gratifications que les précédents évêques ont accordées aux clercs ou aux serviteurs[1], soit sur les biens de l'Église, en jouissance, soit sur leurs biens personnels, en toute propriété, que les pontifes leurs successeurs ne se permettent nullement de les reprendre. Si cependant une faute est commise, que la sanction, déterminée par la qualité des personnes et la norme des précédents canons, porte sur la personne et non sur les biens[2].

6. Il a aussi été jugé bon par tous les frères que durant la 1re semaine du 9e mois[3], à savoir avant le dimanche qui luira le premier ce mois-là, des litanies, comme les saints Pères ont décrété qu'il s'en ferait avant l'Ascension du Seigneur, soient célébrées dorénavant par toutes les églises ou paroisses[4].

Souscriptions des évêques :

Philippe, au nom du Christ, évêque de l'église de Vienne, j'ai souscrit à nos constitutions.
Nizier, au nom du Christ, évêque de l'église de Lyon, j'ai souscrit à nos constitutions.
Agricola, au nom du Christ, évêque de l'église de Chalon, j'ai souscrit à nos constitutions.
Vincent, au nom du Christ, évêque de l'église de Belley, j'ai souscrit à nos constitutions.

4. Le c. 6 figure dans la *Vetus Gallica* 31, 7.

Siagrius in Christi nomine episcopus ecclesiae Heduorum constitutionibus nostris subscripsi.

Aeoladius in Christi nomine episcopus ecclesiae Niuernensis subscripsi.

Salonius in Christi nomine episcopus ecclesiae Genauensis subscripsi.

Caelodonius in Christi nomine episcopus ecclesiae Matescensis subscripsi.

Valesius presbyter directus a domino meo Siagrio episcopo ecclesiae Gratianopolitanae subscripsi.

Vincentius presbyter directus a domino meo Lucretio episcopo ecclesiae Diensis subscripsi.

Eusebius presbyter directus a domino meo Victore episcopo ecclesiae Tricassinorum subscripsi.

Piolus presbyter directus a domino meo Tetreco episcopo ecclesiae Lingonicae subscripsi.

Caesarius presbyter directus a domino meo Tetradio episcopo ecclesiae Visoncensis subscripsi.

Astemius diaconus directus a domino meo Maximo episcopo ecclesiae Valentine subscripsi.

Syagrius, au nom du Christ, évêque de l'église d'Autun, j'ai souscrit à nos constitutions.

Aeoladius, au nom du Christ, évêque de l'église de Nevers, j'ai souscrit.

Salonius, au nom du Christ, évêque de l'église de Genève, j'ai souscrit.

Caelodonius, au nom du Christ, évêque de l'église de Mâcon, j'ai souscrit.

Valesius, prêtre, délégué par mon seigneur Syagrius, évêque de l'église de Grenoble, j'ai souscrit.

Vincent, prêtre, délégué par mon seigneur Lucretius, évêque de l'église de Die, j'ai souscrit.

Eusèbe, prêtre, délégué par mon seigneur Victor, évêque de l'église de Saint-Paul-Trois-Châteaux, j'ai souscrit.

Piolus, prêtre, délégué par mon seigneur Tetricus, évêque de l'église de Langres, j'ai souscrit.

Césaire, prêtre, délégué par mon seigneur Tetradius, évêque de l'église de Besançon, j'ai souscrit.

Astemius, diacre, délégué par mon seigneur Maxime, évêque de l'église de Valence, j'ai souscrit.

CONCILE DE PARIS III[1]
(556-573)

Les actes du troisième concile de Paris ne sont pas datés. On remarque seulement qu'Eufronius, élu évêque de Tours en 556, assiste à ce concile et que, d'autre part, au concile suivant, c'est-à-dire en 573, les sièges de Bourges et de Chartres seront occupés par d'autres évêques. D'où la datation ici indiquée.

Il importe toutefois de noter que les 25 premières lignes du canon 1 de ce concile de Paris sont identiques au canon 26 du concile de Tours, tenu en 567. Lequel des deux conciles fait-il un emprunt à l'autre ? On a jugé d'ordinaire que Paris empruntait à Tours (Hefele-Leclercq, Maassen, De Clercq). O. Pontal énonce l'opinion contraire[2] et expose les raisons qui l'amènent à dater ce concile de Paris des années 561-562.

Quinze évêques ou métropolitains assistent au concile. Ils viennent tous de la région de la Loire ou de la Seine, à l'exception du métropolitain de Bordeaux. Pourtant les évêques, soucieux de la diffusion de leurs décisions en dehors de cette assemblée restreinte, prévoient de demander à tout évêque absent de signer ces canons et de veiller à leur application (c. 19).

Deux préoccupations majeures ont retenu l'attention des Pères : la protection du patrimoine ecclésiastique (c. 1, 2, 3, 7) et la lutte contre les interventions royales, dans

---

1. Cf. Hefele-Leclercq, III[1], p. 171-174 ; De Clercq, *Législation*, p. 44-45.
2. Pontal, p. 151-154.

quelque domaine qu'elles puissent se produire : questions patrimoniales (c. 1 et 3), unions matrimoniales (c. 6), élections épiscopales (c. 8). Dans tous ces domaines on dénonce l'usage de demander (et d'obtenir) les faveurs royales. L'inceste est à nouveau condamné (c. 4), les vierges consacrées sont protégées (c. 5). Le canon 9 contient une disposition originale sur la condition des affranchis et de leurs descendants, et sur la possibilité pour l'Église de modifier cette condition.

TRANSMISSION : Reflétant peut-être une certaine opposition entre le roi et l'épiscopat, le concile de Paris n'est connu que par un nombre limité de manuscrits. Il figure cependant dans les collections de Corbie et de Saint-Amand.

DESTINÉE ULTÉRIEURE : Les collections canoniques postérieures ne lui firent pas un très large accueil. Pourtant le concile est reproduit par la collection de Beauvais ; 4 canons figurent dans la collection de Bonneval (c. 4, 5, 6 et 7) ; les canons 6 et 8 sont dans les Décrets d'Yves de Chartres et de Gratien, le canon 8 dans la Panormie.

CONCILIVM PARISIENSE
556-573.

INCIPIVNT CANONES PARISIACI

Admonet pontifices temporum qualitas et inprobae necessitatis praecauenda conditio, ut non solum rerum praesentium, sed et futurorum quoque utilitas congrua prouisione tractetur, quatenus, quos custodiae ordinatio ac pro amore diuino solicitudinis cura constringit, et praeuidisse sequentia et oportune eis uigilasse probentur. Et quia sibi sacerdotes in hoc maxime consulunt, si importunorum uoluntatibus obuiasse noscuntur, coniuncti in unum Christo opitulante Parisius pro utilitatibus ecclesiarum, unde non leuiter rationem sumus quandoquidem reddituri, in quantum diuina pietas uirtutem dare dignata est, temptauimus salubri consultatione prospicere, ne, dum periculosa abusione ordinatio superna neglegitur, in nobis aliorum crimina uindicentur.

1. Itaque placet ac omnibus nobis conuenit obseruari, ut quia nonnulli memores sui per quaslibet scripturas pro captu animi de facultatibus suis ecclesiis aliquid contulisse probantur, quod a diuersis Deum minus timentibus eatenus mortifera calliditate tenetur, ut aliorum oblatio illis pertineat ad ruinam nec intueri corde possint diem iudicii, dum nimiae cupiditatis delectantur ardore : quicumque ergo immemor interitus sui res ecclesiae, ut supra diximus, delegatas iniuste possidens praesumpserit retinere et ueritate comperta res Dei seruis suis dissimu-

CONCILE DE PARIS
556-573

ICI COMMENCENT LES CANONS DE PARIS

Les circonstances présentes et le devoir de se prémunir contre de pénibles situations invitent les pontifes à traiter avec la prévoyance voulue de ce qui intéresse le présent et aussi l'avenir ; eux qui ont l'obligation, pour l'amour de Dieu, de veiller à la sauvegarde et de faire preuve de vigilance, montreront ainsi qu'ils ont prévu l'avenir et y ont pourvu à propos. Et puisque l'intérêt des évêques est avant tout de s'opposer aux volontés des gens fâcheux, nous étant réunis, Dieu aidant, à Paris, pour les besoins des églises, nous avons tenté, pour autant que la miséricorde divine a bien voulu nous en donner la capacité, de prévoir dans un salutaire débat tout ce dont nous aurons sérieusement à rendre compte un jour, afin de ne pas subir la peine due aux crimes d'autrui pour nous être montrés, par une dangereuse négligence, insouciants des prescriptions divines.

1. En conséquence, nous décidons ceci, qu'il convient que nous observions tous. Certains, pensant à leur salut, ont attribué aux églises par un acte écrit, du mieux qu'ils ont pu, une part de leurs biens. Or d'autres, dépourvus de crainte de Dieu, retiennent cette part avec une malice pernicieuse, si bien que l'offrande d'autrui sert à leur perte, sans qu'ils soient capables d'envisager dans leur cœur le jour du jugement, tant ils sont séduits par la passion d'une cupidité démesurée. Ainsi donc, que quiconque, insoucieux de sa propre mort, lorsqu'il possède injustement des biens légués aux églises, ose les retenir, et, la preuve une fois faite, se refuse à restituer le bien de Dieu aux serviteurs de Dieu, soit exclu de la sainte

lauerit reformare, ab omnibus ecclesiis segregatus a
sancta communione habeatur extraneus nec alium mereatur habere remedium, nisi culpam propriam rerum
emendatione purgauerit. Indigne enim ad altare Domini
properare permittitur, qui res ecclesiasticas et audet rapere et iniuste possidere iniqua defensione perdurat ;
necatores enim pauperum iudicandi sunt, qui eorum taliter alimenta subtraxerint. Sacerdotalis tamen debet esse
prouisio, uti uindictam admonitio manifesta praecedat,
ut res usurpatas iniuste quis tulit adhibita aequitate
restituat. Quod si neglexerit et necessitas compulerit,
postea praedonem sacerdotalis districtio maturata percellat. Neque quisquam per interregna res Dei defensare
nitatur, quia Dei potentia cunctorum regnorum terminos
singulari dominatione concludit. Quod si presumpserit,
et ipsius offensam et praedictae damnationis periculum
sustinebit. Competitoribus etiam huiusmodi frenos districtionis imponimus, qui facultates ecclesiae sub specie
largitatis regiae improba subreptione peruaserint ; sera
namque de his rebus paenitudine commouemur, cum iam
ante actis temporibus contra huiusmodi personas canonum suffulti praesidio se sacerdotes Domini erigere de-
buissent, uti non mansuetudo indulgentiae ad similia
perpetranda improborum audaciam adhuc cotidie prouo-
caret. Nunc tarde iniuriarum mole depressi damnis
quoque dominicis compellentibus excitamur. Quod si is,
qui res Dei competit, in aliis, quam ubi res agitur,
maxime solet territoriis commorari, sacerdotem loci
ipsius, ubi habitat, episcopus ille huiusmodi prauitate
contemptus neglecto personae litteris mox reddat instruc-
tum ; tunc antistes ipse fratris anxietate comperta aut

---

1. Jusqu'ici le texte, à part le *Itaque* initial, est exactement le même
que celui du c. 26 du concile de Tours II (cf. introduction ci-dessus).

communion et tenu pour étranger par toutes les églises ;
et qu'il ne lui reste pas d'autre moyen d'obtenir son
pardon que de laver sa faute par la restitution de ces
biens. Il est indigne en effet de laisser s'approcher de
l'autel quelqu'un qui ose s'emparer des biens d'Église et
qui persiste à les conserver indûment sous d'injustes
prétextes, car il faut tenir pour des assassins des pauvres
ceux qui leur soustraient ainsi leur nourriture. L'évêque
doit toutefois veiller à ce qu'une monition bien claire
précède la sanction : que celui qui a pris et usurpé les
biens ait à les restituer selon la justice. S'il l'omet et si
la nécessité y contraint, qu'une prompte sanction épiscopale frappe ce pillard. Et que personne ne tente de
revendiquer les biens de Dieu en se réclamant des partages entre royaumes, car la puissance de Dieu embrasse
sous son unique domination tous les royaumes [1]. Si quelqu'un l'ose, il encourra à la fois l'offense faite à Dieu et
le péril de ladite condamnation. Nous imposons aussi le
frein d'une pareille sanction aux captateurs qui s'emparent des biens d'Église par une subreption malhonnête
sous le prétexte d'une libéralité royale. A vrai dire, c'est
bien tard que nous sommes touchés de regret à ce sujet,
puisque déjà dans le passé les évêques du Seigneur auraient dû, forts de l'appui des canons, s'opposer à de
telles gens, pour qu'une indulgente mansuétude n'incitât
pas l'audace des méchants à commettre chaque jour
encore semblables actes. C'est tardivement que nous nous
réveillons aujourd'hui, accablés sous le poids des injus-
tices, forcés aussi par les dommages venant de nos seigneurs. Si celui qui accapare les biens de Dieu réside
principalement dans des territoires autres que celui où le
fait se produit, que l'évêque lésé par une pareille injustice
en avertisse aussitôt par écrit, sans acception de personne,
l'évêque du lieu où réside cet homme ; et qu'alors cet
évêque-là, à la nouvelle de l'angoisse de son frère, ou

peruasorem ammonitione corrigat aut canonica districtione condemnet. Accedit etiam, ut temporibus discordiae supra promissionem bonae memoriae domni Clodouei regis res ecclesiarum aliqui competissent ipsasque res in fata conlapsi propriis haeredibus reliquissent. Placet et hos quoque, nisi res Dei admoniti a pontifice agnita ueritate reddiderint, similiter a sanctae communionis participatione suspendi, quoniam res Dei, quae auctores eorum maturata morte credendae sunt peremisse, non debent filii ulterius possidere. Iniquum esse censemus, ut potius custodes cartarum, per quas aliquid ecclesiis a fidelibus personis legitur derelictum, quam defensores rerum creditarum, ut praeceptum est, iudicemur.

2. Et quia episcoporum res propriae ecclesiarum res esse noscuntur, si in eorum facultatibus simili fuerit crudelitate grassatum, peruasores rerum memoratarum canonum districtione feriat uindicta, dum corrigit ; ut, qui non moribus propriis ac nulla conscientiae castigatione corripitur, saltim regulae obtundatur aculeis. Perpetuo enim anathemate feriatur, qui res ecclesiae confiscare aut conpetire aut peruadere periculosa infestatione praesumpserit.

3. Et quia exempla boni operis a pontificibus debent primum Christo opitulante procedere, nullus episcoporum res competat alienas aut, si competitas aut a se aut ab auctore suo forte quis possidet, domino proprietatis possessionem propriam absque praeiudicio liberalitatis

1. Le c. 7 du concile d'Orléans I s'élevait contre cette pratique dont les conséquences tracassent les évêques 50 ans plus tard.
2. Voir le c. 13 du concile d'Orléans V et, pour le début du canon, comme il a été dit, le c. 26 du concile de Tours II.
3. Voir le c. 25 du concile de Tours II.

bien corrige l'envahisseur par une admonestation, ou bien le condamne par une sanction canonique. Il est même arrivé que, dans des temps de discorde, certains aient occupé des biens des églises en se prévalant d'une concession de notre seigneur le roi Clovis[1], de bonne mémoire, et qu'ayant subi le sort commun, ils les aient laissés à leurs propres héritiers. Il convient que ceux-là également, si, admonestés par l'évêque, la vérité une fois établie, ils ne restituent pas les biens de Dieu, soient pareillement privés de la participation à la sainte communion, car ces biens de Dieu qui, doit-on croire, ont fait périr leurs prédécesseurs d'une mort précoce, les fils ne doivent pas plus longtemps les posséder. Nous estimons injuste d'être considérés plutôt comme les conservateurs des chartes par lesquelles est attesté le legs fait aux églises par des fidèles que, selon le commandement reçu, comme les défenseurs des biens qui nous ont été confiés[2].

2. Et puisque, on le sait, les biens propres des évêques sont les biens des églises, si l'on s'en est pris à leurs ressources avec une semblable rage, que la punition frappe suivant la rigueur des canons les usurpateurs des biens en question, et qu'ainsi celui que ne réprouve ni son sens moral ni aucun reproche de sa conscience soit du moins harcelé par l'aiguillon de la loi. Que soit donc frappé d'un perpétuel anathème quiconque ose confisquer, revendiquer ou occuper par une invasion téméraire les biens d'Église[3].

3. Et puisque les exemples d'une conduite droite doivent émaner d'abord des pontifes, avec l'aide du Christ, qu'aucun des évêques ne s'approprie les biens d'autrui ; ou si l'un d'eux se trouve en détenir, de son fait ou de celui de son prédécesseur, qu'il restitue au propriétaire la possession qui lui revient, par une répa-

regiae integra reformatione restituat, ut, quia Deus dona
reprobat iniquorum, non ad iudicium suum ecclesiae res
exteras derelinquat.

4. Conuenit etiam uniuersis fratribus, ut non solum
praesentium rerum actus, sed et animarum quoque debeant praeparare remedia. Nullus ergo illicita coniugia
contra praeceptum Domini sortire praesumat, id est fratris relictam nec nouercam suam relictamque patrui uel
sororem uxoris suae sibi audeat sociare neque auunculi
quoque relictae, nurus suae uel materterae coniugio po-
tiatur ; pari etiam conditione a coniugio amitae, priuignae
ac filiae priuignae coniunctionibus praecipimus abstinere.

5. Sacratarum etiam uirginum neque per raptum neque
per conpetitiones aliquas quisquam coniugia sortiatur.
Similiter de earum erit coniunctionibus abstinendum —
et hi, qui eas rapere aut conpetere uoluerint, a communione remouendi —, quae uestium commutatione, tam
uiduae quam puellae, religionem, poenitentiam aut uir-
ginitatem publica fuerint declaratione professae. Quod si
contra interdicta quis uenerit et sacerdotem suum audire
neglexerit, et in praesenti a communione catholicae ecclesiae habeatur extraneus et in perpetuo anathema feriatur.

---

1. *Absque praeiudicio liberalitatis regiae :* on pourrait comprendre :
« sans que ce soit faire injure à la libéralité royale ». La justice n'exclut
pas la déférence.
2. Seul emploi par un concile mérovingien des termes *amita* et
matertera.
3. Voir le c. 30 du concile d'Épaone et le c. 27 du concile d'Orléans
IV. — Le c. 4 figure dans le ms. de Bonneval 14, 7.
4. Les vierges consacrées n'avaient pas toutes un vêtement particulier, mais portaient seulement un voile ; tout au plus leur conseillait-

ration intégrale, sans qu'une libéralité royale soit source de préjudice [1], et qu'ainsi il ne lègue pas à l'Église des biens qui lui sont étrangers, car Dieu réprouve les dons des injustes.

4. Tous les frères ont aussi été d'accord sur ce que leur action devait porter remède non seulement aux biens d'à présent, mais aussi aux âmes. Que personne donc ne se permette de contracter des mariages illicites, contraires au précepte du Seigneur, c'est-à-dire n'ose s'unir à la veuve de son frère, ou à sa belle-mère (*nouerca*), ou à la veuve de son oncle paternel, ou à la sœur de sa femme, ni non plus ne prenne en mariage la veuve de son oncle maternel, ni sa bru, ni sa tante maternelle [2] ; de même façon, nous prescrivons de s'abstenir du mariage avec une tante paternelle [2], une belle-fille (*priuigna*) et une fille de cette belle-fille [3].

5. Que personne non plus ne conclue de mariage avec des vierges consacrées, que ce soit en usant de rapt ou de revendications quelconques. Pareillement, il faudra s'abstenir d'unions avec ces femmes qui, soit veuves, soit jeunes filles — ceux aussi qui voudraient les ravir ou revendiquer doivent être écartés de la communion —, ont, en changeant de vêtement, fait, par une déclaration publique, profession de vie religieuse, de pénitence ou de virginité [4]. Si quelqu'un contrevenait à ces interdits et négligeait d'écouter son évêque, qu'il soit, pour le temps présent, tenu pour étranger à la communion de l'Église catholique, et, pour jamais, frappé de l'anathème.

on de s'habiller de façon sobre et discrète. — Sur les distinctions entre vierges consacrées et vierges ayant fait profession de religion, cf. METZ, *La consécration des vierges,* p. 87 et 90. L'auteur montre en particulier que les vierges consacrées ne sont pas toujours dans des monastères, mais que certaines continuent à vivre dans le siècle.

6. Et quia utilium rerum coepit causa tractari, hoc uniuersitas praecaueri quoque debet, tam sacerdotes quam principes omnisque populus, ut nullus res alienas conpetere a regis audeat potestate. Nullus uiduam neque filiam alterius extra uoluntatem parentum aut rapere praesumat aut regis beneficio estimet postulandam. Quod si fecerit, similiter ab ecclesiae communione remotus anathematis damnatione plectatur.

7. Et quia uniuersis sacerdotibus ita conuenit, ut, si quis de eis a communione ecclesiae pro contemptu canonum ac peruasione rerum ecclesiasticarum aliquem fortasse suspenderit, a nullo penitus episcopo recepi praesumatur. Quod si factum fuerit, is, qui eum contra interdicta receperit, et a fratrum suorum erit concordia separatus et aeterni iudicis in futurum, ut confidimus, iracundiam sustinebit.

8. Et quia in aliquibus rebus consuetudo prisca neglegitur ac decreta canonum uiolantur, placuit iuxta antiquam consuetudinem, ut canonum decreta seruentur. Nullus ciuibus inuitis ordinetur episcopus, nisi quem populi et clericorum electio plenissima quesierit uoluntate ; non principis imperio neque per quamlibet conditionem contra metropolis uoluntatem uel episcoporum comprouincialium ingeratur. Quod si per ordinationem regiam honoris istius culmen peruadere aliquis nimia temeritate praesumpserit, a comprouincialibus loci ipsius episcopus recepi penitus nullatenus mereatur, quem in-

---

1. Voir le c. 22 du concile d'Orléans IV. — Le c. 6 figure dans : ms. de Bonneval 14, 9 ; Yves de Chartres, Décret VIII, 25 ; Décret de Gratien, Causa 36, q. 2, c. 6.
2. Le c. 7 figure dans le ms. de Bonneval 9, 32.
3. Cf. GAUDEMET, *Élections,* p. 53.

6. Et puisque les questions d'intérêts ont été abordées, tous, tant les évêques que les princes et l'ensemble du peuple, doivent aussi veiller à ce que personne n'ose solliciter du pouvoir royal des biens appartenant à d'autres. Que personne ne se permette de ravir ni ne croie pouvoir solliciter de la faveur royale la veuve ou la fille d'autrui sans le consentement des parents. S'il le fait, qu'il soit pareillement écarté de la communion de l'Église et frappé de la condamnation de l'anathème [1].

7. Et puisque tous les évêques en sont d'accord, si l'un d'eux vient à suspendre quelqu'un de la communion de l'Église pour avoir méprisé les canons et usurpé des biens ecclésiastiques, qu'absolument aucun évêque ne se permette de l'y réintégrer. Si cela se faisait, celui qui l'a réintégré à l'encontre des interdits sera séparé de la communion de ses frères et subira dans l'avenir, comme nous en sommes persuadés, la colère du Juge éternel [2].

8. Et puisque, en certains domaines, la coutume ancienne est négligée et les décrets canoniques violés, il a été décidé, conformément à l'antique coutume, que les décrets canoniques soient observés [3]. Que personne ne soit ordonné évêque contre le gré des citoyens [4], mais que le soit seulement celui que l'élection du peuple et des clercs aura postulé en pleine et entière liberté ; que n'interviennent ni l'autorité du prince ni aucune stipulation pour contrecarrer la volonté du métropolitain ou des évêques comprovinciaux. Si c'est en vertu d'une désignation royale que quelqu'un, avec une excessive audace, prétend s'emparer de ce suprême honneur, qu'il ne soit en aucune façon reçu par les évêques de la province dont relève ce lieu, lesquels reconnaissent qu'il

4. Voir le c. 11 du concile d'Orléans de 549.

debite ordinatum agnoscunt. Si quis de comprouincialibus recipere contra interdicta praesumpserit, sit a
fratribus omnibus segregatus et ab ipsorum omnium
caritate semotus. Nam de ante actis ordinationibus pontificum ita conuenit, ut coniuncti metropolis cum suis
comprouincialibus episcopis uel, quos uicinos episcopos
eligere uoluerit, in loco, ubi conuenerit, iuxta antiqua
statuta canonum omnia communi consilio et sententia
decernantur.

9. De genere seruorum, qui sepulchris defunctorum
pro qualitate ipsius ministerii deputantur, hoc placuit
obseruari, ut, sub qua ab auctoribus fuerint conditione
dimissi, siue haeredibus siue ecclesie pro defensione fuerint deputati, uoluntas defuncti circa eos in omnibus
debeat conseruari. Quod si ecclesia eos de his sanctis
functionibus in omni parte defenderit, ecclesiae tam illi
quam posteri eorum defensione in omnibus potiantur et
occursum impendant.

Et quia huic definitioni cuncti fratrum interesse minime
potuerunt, hoc etiam omnis congregatio sacerdotum
Christo propitiante decreuit, ut constitutio praesens,
quantis oblata fuerit, subscriptionibus eorum debeat ro-
borari, quatenus in hoc, quod ab uniuersis obseruandum
est, uniuersitas debeat consentire.

---

1. Le c. 8 figure dans : Yves de Chartres, Décret V, 123, Panormie
III, 9 ; Décret de Gratien, Dist. 63, c. 5.
2. *Occursus :* « une redevance due par les protégés à leur patron »
(NIERMEYER, § 3, avec précisément le présent exemple).
3. Cette clause, banale, ne se trouve pas dans les autres conciles.
Elle traduit la volonté des Pères d'affirmer que le consentement de tous
est nécessaire ; dans le canon précédent, cette même idée du consente-

a été désigné irrégulièrement. Si l'un des comprovinciaux ose le recevoir en dépit des interdictions, qu'il soit tenu à l'écart de tous ses frères et séparé de leur communion à tous. Pour ce qui est des ordinations de pontifes faites dans le passé, il a été décidé que, le métropolitain s'étant réuni avec ses évêques comprovinciaux ou ceux des évêques voisins qu'il aura choisis, au lieu qui conviendra, tout soit jugé d'après les anciens statuts canoniques, selon le jugement et l'avis de tous [1].

9. En ce qui concerne cette catégorie d'esclaves qui sont attachés à titre spécial au service des sépulcres des défunts, voici ce qu'il a été décidé d'observer : quelle que soit la modalité selon laquelle ils ont été affranchis par les testateurs, qu'ils aient été mis sous la tutelle des héritiers ou que ce soit sous celle de l'Église, la volonté du défunt à leur sujet doit être en tout respectée. Si c'est l'Église qui les a entièrement sous sa tutelle pour ce qui regarde ces saintes fonctions, qu'eux-mêmes aussi bien que leurs successeurs bénéficient en tout de la tutelle de l'Église et qu'ils lui versent une redevance [2].

Et puisque tous nos frères n'ont pas pu du tout être présents à ces décisions, toute l'assemblée des évêques, avec la faveur de Dieu, a aussi pris cette décision que la présente constitution doit être confirmée par les souscriptions de tous ceux auxquels elle sera présentée, afin que ce qui doit être observé par tous obtienne le consentement de tous [3].

ment de tous était déjà fortement défendue à propos des élections épiscopales. Ces deux canons dénotent un courant favorable à la participation des intéressés à la gestion de leurs affaires. Sur cette question, cf. Y. CONGAR, « *Quod omnes tangit, ab omnibus tractari et approbari debet* », *RHDFE* 35 (1958), p. 210-259.

Probianus in Christi nomine episcopus ecclesie Beto-
rigae consensi et subscripsi.

Pretextatus in Christi nomine episcopus ecclesie Ro-
thomagensis consensi et subscripsi.

Leontius in Christi nomine consensi.

Germanus peccator consensi et subscripsi.

Eufronius peccator consensi et subscripsi.

Felix peccator consensi et subscripsi.

Domicianus peccator consensi et subscripsi.

Chardaricus peccator consensi et subscripsi.

Gonothigernus peccator consensi.

Paternus peccator consensi et subscripsi.

Lasciuus peccator consensi et subscripsi.

Chaletricus peccator consensi et subscripsi.

Edibius peccator consensi et subscripsi.

Samson subscripsi et consensi in nomine Christi.

Ferrocinctus in Christi nomine episcopus consensi.

1. DE CLERCQ, p. 210, dit : « évêque de Lisieux » ; p. 360 : « siège
inconnu ». DUCHESNE, *Fastes,* II, p. 236, estime qu'il doit s'agir du
prêtre Edibius qui représentait son évêque à Orléans en 541 et lui aura
probablement succédé.

Probianus, au nom du Christ, évêque de l'église de Bourges, j'ai consenti et souscrit.

Prétextat, au nom du Christ, évêque de l'église de Rouen, j'ai consenti et souscrit.

Léonce, au nom du Christ [évêque de Bordeaux], j'ai consenti.

Germain, pécheur [évêque de Paris], j'ai consenti et souscrit.

Eufronius, pécheur [évêque de Tours], j'ai consenti et souscrit.

Felix, pécheur [évêque de Nantes], j'ai consenti et souscrit.

Domitien, pécheur [évêque d'Angers], j'ai consenti et souscrit.

Chardaricus, pécheur [?], j'ai consenti et souscrit.

Gonotiernus, pécheur [évêque de Senlis], j'ai consenti.

Paternus, pécheur [évêque d'Avranches], j'ai consenti et souscrit.

Lascivus, pécheur [évêque de Bayeux], j'ai consenti et souscrit.

Chaletricus, pécheur [évêque de Chartres], j'ai consenti et souscrit.

Edibius, pécheur [évêque de Lisieux ?], j'ai consenti et souscrit [1].

Samson, [évêque de Dol ?], j'ai souscrit et consenti, au nom du Christ.

Ferrocinctus, au nom du Christ, évêque [d'Évreux], j'ai consenti.

CONCILE DE MÂCON I[1]
(1er novembre 581-583[2])

Le roi Gontran prend l'initiative de ce concile qui réunit vingt-et-un évêques représentant l'ensemble de son royaume. Notons la présence des métropolitains de Lyon, Vienne, Sens, Bourges et Besançon. L'évêque de Maurienne, dont le diocèse vient d'être rattaché au royaume par Gontran, assiste à l'assemblée.

Les vingt canons rappellent nombre de dispositions antérieures ; deux sujets semblent avoir particulièrement retenu l'attention des évêques : l'hostilité à l'égard des juifs (c. 2, 13, 14, 15, 16, 17) et les questions d'organisation juridictionnelle et de procédure (c. 7, 8, 13, 18, 19). En dehors de ces centres d'intérêt particulièrement nets, on retrouve les questions habituelles : relations des clercs avec les femmes (c. 1, 3, 11) ou des vierges consacrées avec les hommes (c. 2, 12, 20) ; le patronage des laïques est combattu (c. 10, 20) ; quelques dispositions concernent la liturgie ou les règles du jeûne (c. 5, 6, 9, 10).

TRANSMISSION : Les dispositions du premier concile de Mâcon se retrouvent dans les collections de Lyon, de Saint-Amand, de Bourgogne et dans celle de Beauvais.

1. Cf. CEILLIER, XI, p. 894 ; HEFELE-LECLERCQ, III[1], p. 202-205 ; DE CLERCQ, p. 49-51.
2. La date du concile est incertaine, la 15e indiction correspondant à 581 et l'année de règne à 583.

DESTINÉE ULTÉRIEURE : La portée de ces canons apparaît dans l'utilisation qui en a été faite : l'*Herovalliana* et la seconde collection de Freising y ont puisé quelques textes ; 12 canons sont dans la collection de Bonneval (c. 2, 3, 5, 7, 9, 10, 11, 12, 13, 16, 18, 19) ; la *Vetus Gallica* reprend ces 12 mêmes canons, ainsi qu'un autre (c. 4). Si la collection de Novare, l'*Epitome Hispanico*, l'*Hispana* systématique et Benoît le Lévite ignorent le concile, 3 canons sont en revanche utilisés par Yves de Chartres dans son Décret (c. 13, 16, 18). Enfin le Décret de Gratien reprend les canons 8, 16 et 18 qui figuraient déjà chez Burchard de Worms ; le canon 18 est également dans la *Caesaraugustana* et dans la Tripartite.

CONCILIVM MATISCONENSE
581-583. Nou. 1.

CONSTITVTIONES QVAE IN SYNODO MATISCONE CONSCRIPTAE SVNT

Cum ad iniunctionem gloriosissimi domni Guntramni regis tam pro causis publicis quam pro necessitatibus pauperum in urbe Matiscensi nostra mediocritas conuenisset, primo in loco uisum nobis est, ut in nomine Domini non tam noua quam prisca patrum statuta sancientes id ipsum, quod constituimus, titulis praesentibus in canonibus legeretur insertum.

1. Ideoque definitum est, ut episcopi, presbyteri atque diaconi ita sanctae conscientiae luce resplendeant, ut effugiant in probitate actuum maledicorum obloquia et testimonium in se diuinum implere contendant, quod Dominus ait : « Sic luceat lumen uestrum coram hominibus, ut uideant uestra bona opera et magnificent Patrem uestrum, qui est in coelis ᵃ. » Igitur auctoritate canonica atque mansura in aeuum constitutione sancimus, ut fugiatur ab his extranearum mulierum culpanda libertas et tantum cum auia, matre, sorore uel nepte, si necessitas tulerit, habitent.

2. Vt nullus episcopus, presbyter, diaconus, clericus uel quicumque secularis in monasteriis puellarum nisi probatae uitae et aetatis prouectae praeter utilitatem aut quamcumque reparationem monasterii ad quascumque earum necessitates habitare aut secretas conlocutiones

---

a. Matth. 5, 16

1. Voir le c. 16 du concile de Clermont.
2. Voir le c. 38 du concile d'Épaone.

CONCILE DE MÂCON
1er novembre 581-583

CONSTITUTIONS QUI ONT ÉTÉ MISES
PAR ÉCRIT
AU CONCILE DE MÂCON

Comme, sur l'injonction de notre très glorieux seigneur le roi Gontran, notre petitesse s'était réunie en la ville de Mâcon dans l'intérêt des affaires publiques aussi bien que des besoins des pauvres, nous avons décidé en premier lieu — tandis que nous ratifiions au nom du Seigneur non tant de nouveaux statuts que les anciens statuts des Pères — que ce que nous avons défini soit inséré et lu parmi les canons sous les titres que voici.

1. Ainsi, il a été fixé que les évêques, les prêtres et les diacres doivent resplendir si bien de l'éclat de la sainteté intérieure qu'ils puissent échapper par l'honnêteté de leurs actions aux accusations des médisants et s'efforcer de réaliser en eux-mêmes l'attestation divine : « Que votre lumière reluise si bien devant les hommes qu'ils voient vos bonnes actions et glorifient votre Père qui est aux cieux [a]. » Aussi, par l'autorité canonique et une constitution qui demeurera à jamais, nous décrétons que tous fuient la liberté coupable vis-à-vis des femmes du dehors, et qu'ils habitent seulement avec une grand-mère, une mère, une sœur ou une nièce s'il y a nécessité [1].

2. Qu'aucun évêque, prêtre, diacre, clerc, ni aucun séculier, s'il n'est d'une moralité éprouvée et d'âge avancé, et sauf raison d'utilité ou de réparation du monastère, ne se permette de séjourner ou d'avoir des entretiens privés dans des monastères de filles, en vue de quelque service à leur rendre [2], et qu'il ne leur soit pas

habere praesumant nec extra salutatorium aut oratorium ulterius ingredi permittantur. Praecipue iudaei non pro quorumcumque negotiorum occasiones puellis intra monasterium Deo dicatis aliquid secretius conloqui aut familiaritatem uel moras ibi habere praesumant.

3. Vt nulla mulier in cubiculo episcopi absque duos presbyteros ingredi permittatur.

4. Vt, qui oblationes fidelium defunctorum, quae ecclesiis conferuntur, retinent, uelut retentatores aut aegentium necatores ab ecclesiae liminibus arceantur.

5. Vt nullus clericus sagum aut uestimenta uel calciamenta saecularia, nisi quae religionem deceant, induere praesumat. Quod si post hanc definitionem clericus aut cum indecenti ueste aut cum armis inuentus fuerit, a senioribus ita coherceatur, ut triginta dierum conclusione detentus aqua tantum et modici panis usu diebus singulis sustentetur.

6. Vt episcopus sine pallio missas dicere non praesumat.

7. Vt nullus clericus de qualibet causa extra discussionem episcopi sui a seculare iudice iniuriam patiatur aut custodiae deputetur. Quod si quicumque iudex cuiuscumque clericum absque causa criminale, id est homicidio, furto et maleficio, hoc facere fortasse praesumpserit,

1. Le c. 2 figure dans : *Vetus Gallica* 47, 6 ; ms. de Bonneval 14, 32.

2. Voir le c. 16 du concile de Clermont. — Le c. 3 figure dans : *Vetus Gallica* 38, 6 ; ms. de Bonneval 24, 5.

3. Voir le c. 25 du concile d'Orléans III et le c. 16 de celui d'Orléans V. — Le c. 4 figure dans la *Vetus Gallica* 35, 7.

4. Le c. 5 figure dans : *Vetus Gallica* 45, 21 ; ms. de Bonneval 26, 21.

permis d'entrer plus avant que le parloir ou l'oratoire. Surtout, que des juifs ne se permettent pas, à l'occasion d'aucune affaire, d'avoir des entretiens particuliers ou des relations familières, à l'intérieur d'un monastère, avec des vierges consacrées à Dieu ou de séjourner là [1].

3. Qu'aucune femme n'ait la permission d'entrer dans la chambre d'un évêque sans la présence de deux prêtres [2].

4. Que ceux qui retiennent les offrandes des défunts attribuées aux églises soient écartés du seuil de l'église comme accapareurs ou assassins des indigents [3].

5. Qu'aucun clerc ne se permette de revêtir le sayon ou des vêtements ou chaussures séculiers, mais seulement ceux qui conviennent à des gens d'Église. Si après cette décision un clerc est trouvé avec un vêtement inconvenant ou avec des armes, qu'il soit puni par ses supérieurs d'une détention de trente jours, avec comme nourriture de l'eau et un peu de pain chaque jour [4].

6. Que l'évêque ne se permette pas de dire la messe sans le pallium [5].

7. Qu'aucun clerc, pour aucun motif, ne soit, sans examen de la part de son évêque, victime de l'injustice d'un juge séculier ou mis en prison [6]. Si un juge se permet de traiter ainsi le clerc de quelqu'un, hors le cas d'une affaire criminelle, à savoir l'homicide, le vol et le maléfice,

5. Sur ce *pallium* gallican, cf. H. LECLERCQ, art. « Pallium », *DACL* XIII, 1 (1937), col. 935-936 ; art. « Rational », *DACL* XIV, 2 (1948), col. 2066-2067.

6. Voir le c. 20 du concile d'Orléans V.

quamdiu episcopo loci ipsius uisum fuerit, ab ecclesiae
liminibus arceatur.

8. Vt nullus clericus ad iudicem saecularem quemcumque alium fratrem de clericis accusare aut ad causam
dicendam trahere quocumque modo praesumat, sed omne
negotium clericorum aut in episcopi sui aut in presbyterorum uel archidiaconi praesentia finiatur. Quod si quicumque clericus hoc implere distulerit, si iunior fuerit,
uno minus de quadraginta ictus accipiat, sin certe honoratior, triginta dierum conclusione mulctetur.

9. Vt a feria sancti Martini usque natale Domini secunda, quarta et sexta sabbati ieiunetur et sacrificia
quadragensimali debeant ordine caelebrari. In quibus
diebus canones legendos esse speciali definitione sancimus, ut nullus se fateatur per ignorantiam deliquisse.

10. Vt presbyteri, diaconi uel quolibet ordine clerici
episcopo suo oboedienti deuotione subiaceant et non alibi
dies feriatos nisi in episcopi sui obsequio liceat tenere
aut caelebrare. Quod si quis per quamcumque contu-
maciam aut cuiuscumque patrocinium hoc facere fortasse
distulerit, ab officio regradetur.

11. Episcopi, presbyteri uel uniuersi honoratiores clerici cum sublimi dignitatis apice sublimantur, actibus
omnino renuntient saeculi et ad sacrum electi mysterium
repudient carnale consortium ac permixtionis pristinae
contubernium permutent germanitatis affectu ; et, quis-

---

1. Le c. 7 figure dans : *Vetus Gallica* 36, 11 ; ms. de Bonneval 18,
24.

2. Le c. 8 figure dans : Burchard de Worms XVI, 21 ; Décret de
Gratien, Causa 11, q. 1, c. 6.

3. Le c. 9 figure dans : ms de Bonneval 29, 17 ; *Vetus Gallica* 24,
3.

qu'il soit écarté du seuil de l'église aussi longtemps que
l'évêque du lieu le jugera bon[1].

8. Qu'aucun clerc ne se permette en aucune façon
d'accuser devant un juge séculier un autre de ses frères
clercs, ou de l'y traduire en justice, mais que tout procès
entre clercs soit tranché en présence soit de leur évêque,
soit de prêtres ou de l'archidiacre. Si un clerc omet d'agir
ainsi, qu'il reçoive trente-neuf coups s'il s'agit d'un jeune,
et s'il s'agit d'un plus considéré, qu'il soit puni d'une
réclusion de trente jours[2].

9. Que de la fête de saint Martin jusqu'à la Nativité
du Seigneur, on jeûne le lundi, le mercredi et le vendredi,
et que l'on célèbre le sacrifice comme en Carême. Nous
décidons par une mesure particulière que ces jours-là on
devra lire les canons, afin que nul ne prétende avoir failli
par ignorance[3].

10. Que les prêtres, les diacres et les clercs de tout
ordre soient soumis avec obéissance et dévouement à
leur évêque, et qu'il ne leur soit pas permis de passer ou
célébrer les jours de fête ailleurs qu'au service de leur
évêque. Si l'un d'eux, par quelque obstination ou au
nom du patronage de quelqu'un, venait à manquer à ce
devoir, qu'il soit déposé de son office[4].

11. Que les évêques, les prêtres et tous les clercs de
rang honorable, lorsqu'ils sont élevés au faîte de cette
haute dignité, renoncent entièrement aux actions séculières ; que, choisis pour le saint mystère, ils rejettent
l'union charnelle et échangent le commerce de leurs
relations antérieures contre une affection fraternelle ; et

---

4. Le c. 10 figure dans : *Vetus Gallica* 37, 10 ; ms. de Bonneval 23,
9.

quis ille est, diuino munere benedictione percepta uxori prius suae frater ilico efficiatur ex coniuge. Eos uero, quos repperimus ardore libidinis inflammatos abiecto religionis cingulo ad uomitum pristinum [b] et inhibita rursus coniugia repetiisse atque incesti quodammodo crimine clarum decus sacerdotii uiolasse, quod nati etiam filii prodiderunt : quod quisquis fecisse cognoscitur, omni in perpetuo, quam admisso iam crimine perdidit, dignitate priuabitur.

12. De puellis uero, quae se Deo uouerint et praeclari decoris aetate ad terrenas nuptias transierint, id custodiendum esse decreuimus, ut, si qua puella uoluntaria aut parentibus suis rogantibus religionem professa uel benedictionem fuerit consecuta et postea ad coniugium aut inlecebras saeculi, quod potius stuprum est quam coniugium iudicandum, transgredi praesumpserit, usque ad exitum cum ipso, qui se huiusmodi consortio miscuerit, communione priuetur. Quod si se paenitentia ducti sequestrauerint, quamdiu episcopo loci ipsius uisum fuerit, a communionis gratia suspendantur, ita tamen, ut propter infirmitatem aut subitaneum transitum uiaticum illis miserationis intuitu non negetur.

13. Ne iudaei christianis populis iudices deputentur aut telonarii esse permittantur, per quod illis, quod Deus auertat, christiani uideantur esse subiecti.

---

b. Cf. II Pierre 2, 22 (= Prov. 26, 11)

---

1. Canon tiré littéralement du c. 13 de Clermont. — Il figure dans : *Vetus Gallica* 37, 11 ; ms. de Bonneval 23, 10.

2. Cf. GAUDEMET, « A propos du canon 12 du concile de Mâcon (1er nov. 583) ». — Le c. 12 figure dans : *Vetus Gallica* 47, 7 ; ms. de Bonneval 21, 2.

3. Voir le c. 9 du concile de Clermont.

que chacun, quel qu'il soit, une fois reçue la bénédiction par un don divin, devienne aussitôt, d'époux qu'il était, le frère de celle qui était auparavant sa femme. Or nous avons eu connaissance de ce que certains, enflammés du feu du désir, rejetant le ceinturon de la religion, sont revenus à leur ancien vomissement [b] et à la vie conjugale reprise à nouveau, et qu'ils ont souillé le pur honneur du sacerdoce par le crime d'inceste en quelque sorte, ce qu'ont rendu manifeste les fils qui leur sont nés. Quiconque est reconnu l'avoir fait sera privé à jamais de toute la dignité que déjà il a perdue en commettant ce crime [1].

12. Au sujet des jeunes filles qui se sont vouées à Dieu et qui, à l'âge où resplendit la beauté, ont passé à des noces terrestres, voici, avons-nous décidé, ce qui doit être observé : si une jeune fille, spontanément ou à la prière de ses parents, a fait profession de vie religieuse et a reçu la bénédiction, et si ensuite elle se permet de déserter cet état pour le mariage et les attraits du monde — ce qui doit être jugé stupre plutôt que mariage —, qu'elle soit jusqu'à sa mort privée de la communion, de même que celui qui s'est uni à elle par une telle liaison [2]. Si, mus par le repentir, ils se séparent, qu'ils soient, aussi longtemps que le jugera l'évêque du lieu, exclus de la grâce de la communion, à cette clause pourtant que le viatique, en raison de la maladie ou d'une mort soudaine, ne leur soit, par miséricorde, pas refusé.

13. Que des juifs ne soient pas donnés comme juges au peuple chrétien, et qu'ils n'aient pas le droit d'être percepteurs [3], ce qui mettrait des chrétiens sous leur coupe, ce qu'à Dieu ne plaise [4].

4. Le c. 13 figure dans : *Vetus Gallica* 55, 3 ; ms. de Bonneval 21, 2 ; Yves de Chartres, Décret XIII, 118.

14. Vt iudaeis a cena Domini usque prima pascha secundum edictum bonae recordationis domni Childeberti regis per plateas aut forum quasi insultationis causa deambulandi licentia denegetur et ut reuerentiam cunctis sacerdotibus Domini uel clericis inpendant nec ante sacerdotes consessum nisi ordinati habere praesumant. Qui si facere fortasse praesumpserit, a iudicibus locorum, prout persona fuerit, distringatur.

15. Et ut nullus christianus iudaeorum conuiuiis participare praesumat. Quod si facere quicumque, quod nefas est dici, clericus aut saecularis praesumpserit, ab omnium christianorum consortio se nouerit cohercendum, quisquis eorum inpietatibus fuerit inquinatus.

16. Et licet, quid de christianis, qui aut captiuitatis incursu aut quibuscumque fraudibus iudaeorum seruitio inplicantur, debeat obseruari, non solum canonicis statutis, sed et legum beneficio iam pridem fuerit constitutum ; sed quia nunc ita quorundam quaerella exorta est quosdam iudaeos per ciuitates aut municipia consistentes in tanta insolentia et proteruia prorupisse, ut nec reclamantes christianos liceat uel ad praetium de eorum posse seruitute absolui : idcirco praesenti concilio Deo auctore sancimus, ut nullus christianus iudaeo deinceps debeat deseruire, sed datis pro quolibet bono mancipio duodecim solidis ipsum mancipium quicumque christianus seu ad ingenuitatem seu ad seruitium licentiam habeat redi-

---

1. Voir le c. 33 du concile d'Orléans III.
2. Voir le c. 15 du concile d'Épaone.
3. Le c. 15 figure dans la *Vetus Gallica* 55, 4.

14. Qu'il ne soit pas permis aux juifs, depuis la Cène du Seigneur jusqu'au lundi de Pâques, conformément à l'édit de notre seigneur le roi Childebert[1], de bonne mémoire, de circuler par les rues et le marché, comme pour nous faire insulte. Qu'ils montrent de la révérence envers tous les évêques et les clercs, et qu'ils ne se permettent pas de prendre place avant les évêques, à moins d'y être invités. Si l'un d'eux venait à se le permettre, qu'il soit puni par les juges de l'endroit, suivant sa qualité.

15. Qu'aucun chrétien ne se permette de participer aux repas des juifs[2]. Si quelqu'un, clerc ou séculier, se le permettait — il est scandaleux de le dire —, qu'il sache qu'il sera rejeté de la société de tous les chrétiens, comme s'étant souillé par les impiétés de ces gens-là[3].

16. Et bien que depuis longtemps ait été fixé, non seulement par les statuts canoniques, mais aussi par la faveur des lois[4] ce qui doit être observé au sujet des chrétiens qui sont attachés au service des juifs, soit comme prisonniers de guerre, soit par suite de quelque perfidie — étant donné que des gens se sont plaints que certains juifs établis dans les cités ou les municipes en sont venus à une telle insolence et arrogance qu'il n'y a plus moyen que les chrétiens, malgré leurs réclamations, et même au prix voulu, soient libérés de leur servitude —, pour cette raison nous décidons en ce présent concile, sous l'autorité de Dieu, qu'aucun chrétien désormais ne doit servir un juif, mais que, moyennant douze sous pour chaque esclave valide, tout chrétien ait la faculté de racheter cet esclave, soit pour la condition libre, soit

---

4. Cf. *C. Th.* 16, 9, 1 et 11 ; *C.J.* 1, 10, 1. Le texte ne figure pas dans le Bréviaire d'Alaric, mais les Pères en avaient connaissance par d'autres sources.

mendi, quia nefas est, ut, quos Christus Dominus sanguinis sui effusione redemit, persecutorum uinculis
permaneant inretiti. Quod si acquiescere haec, quae statuimus, quicumque iudaeus noluerit, quamdiu ad pecuniam constitutam uenire distulerit, liceat mancipio ipsi
cum christianis, ubicumque uoluerit, habitare.

17. Illud etiam specialiter sancientes, quod, si quis
iudaeus christianum mancipium ad errorem iudaicum
conuictus fuerit persuasisse, et ipsum mancipium careat
et legali damnatione plectatur.

18 (17). Id etiam pari coniuentia placuit, ut, quia, in
uniuerso populo multi pro peccatis esse dicuntur, qui
ambitionis instinctu sunt periuriis inretiti, ut, si quis
conuictus fuerit alios ad falsum testimonium uel periu-
rium adtraxisse aut per quamcumque corruptionem sol-
licitasse, ipse quidem usque ad exitum non communicet ;
hii uero, qui ei in periurio consensisse probantur, post
ab omni sunt testimonio prohibendi.

19 (18). De his uero, qui innocentes aut principi aut
iudicibus accusare conuicti fuerint, si clericus honoratior
fuerit, ab officii sui ordine regradetur, si uero secularis,
communione priuabitur, donec malum, quod admisit, per
publicam paenitentiam digna satisfactione conponat.

1. Voir le c. 30 du concile d'Orléans IV. — le c. 16 figure dans :
Vetus Gallica 55, 5 ; ms. de Bonneval 21, 3 ; Burchard de Worms IV,
88 ; Yves de Chartres, Décret I, 282 ; Décret de Gratien, Dist. 54, c. 18.
2. Voir le c. 31 du concile d'Orléans IV.
3. *Coniuentia* : exemple cité en *TLL* IV, col. 320, 30.
4. Le c. 18 figure dans : *Vetus Gallica* 50, 2 ; ms. de Bonneval 13,
11 ; Buchard de Worms XVI, 8 ; Yves de Chartres, Décret XII, 26,
Tripartite III, 22 ; *Caesaraugustana* 6, 17 ; Décret de Gratien, Causa 22,
q. 5, c. 7.

pour la servitude. C'est chose scandaleuse en effet que des hommes rachetés par le Christ Seigneur par l'effusion de son sang demeurent liés par les chaines des persécuteurs. Si quelque juif refusait d'acquiescer à notre présente constitution, aussi longtemps qu'il se refusera à accepter la somme fixée, il sera loisible à l'esclave en question de demeurer chez des chrétiens, où il voudra [1].

17. Nous décidons tout spécialement que si un juif est convaincu d'avoir persuadé un esclave chrétien de passer à l'erreur judaïque, il soit d'une part dépossédé de cet esclave et d'autre part frappé de la condamnation légale [2].

18 (17). Ceci encore a été décidé avec la même unanimité [3], étant donné que, dit-on, du fait du péché, beaucoup de gens dans l'ensemble du peuple se sont, sous la pression de la convoitise, liés par des parjures : si quelqu'un est convaincu d'en avoir induit d'autres en faux témoignage ou au parjure, ou de les y avoir incités en usant de corruption, qu'il soit personnellement privé de la communion jusqu'à sa mort ; quant à ceux qui ont été complices de son parjure, ils doivent être par la suite éloignés de tout témoignage [4].

19 (18). Pour ceux qui sont convaincus d'avoir accusé des innocents auprès du prince ou des juges, s'il s'agit d'un clerc majeur (*honoratior*), qu'il soit déposé de son rang et de son office, et s'il s'agit d'un séculier, qu'il soit privé de la communion jusqu'à ce qu'il répare, par la digne satisfaction d'une pénitence publique, le mal qu'il a commis [5].

5. Le c. 19 figure dans : *Vetus Gallica* 36, 12 ; ms. de Bonneval 18, 25.

20 (19). Et licet priori titulo legatur definitum, quid de puellis, quae se diuinis cultibus aut parentum aut sua uoluntate dicauerint, debeat obseruari, tamen quia monacha nomine Agnis, quae de monasterii septa fuga ante aliquos annos discesserat, in eodem est monasterio reuocata et dicitur instigante diabolo agellos uel quascumque res ad se pertinentes aliquibus potentibus uelle donare, dummodo per eorum patrocinium se possit de intra monasterii sui septa subtrahere et uoluptatibus saeculi clandestina uel singulari habitatione uacare : ideo praesenti constitutione sancimus, ut tam illa quam quaecumque alia monacha, quae sub hac argumentatione se de religionis habitu ad inlecebras saeculi subtrahere aut res suas pro tam iniquae deliberationis causa quibuscumque dare censuerit, tam illa, quae hoc dare uoluerit, quam illi, quicumque hoc acceperint, ne quod Deus auertat, ambitionis instinctu religionis uideatur regula uitiari, tamdiu sint a communionis gratia sequestrati, quamdiu res ipsas iis, a quibus hoc acceperant, digna paenitentiae satisfactione restituant.

Subscriptiones
ex codicibus HA et B

Nomina episcoporum qui in hunc concilio subscripserunt :

Priscus in Dei nomine episcopus ecclesiae Lugdunensis constitutionem nostram subscripsi.

Euantius peccator ecclesiae Viennensis constitutionem nostram subscripsi.

Artemius episcopus ecclesiae Senonicae constitutionem nostram subscripsi.

20 (19). Bien qu'on puisse lire sous un titre ci-dessus ce qui a été décidé au sujet des jeunes filles qui se sont consacrées au service de Dieu, de la volonté de leurs parents ou de la leur, mentionnons pourtant une moniale nommée Agnès qui, il y a quelques années, s'était enfuie de la clôture de son monastère : rappelée à ce même monastère, elle veut, paraît-il, à l'instigation du diable, donner à quelques puissants des champs et d'autres biens qui lui appartiennent, à cette clause qu'elle puisse, grâce à leur patronage, se soustraire à la clôture de son monastère et s'adonner aux voluptés du monde dans une maison discrète et privée. Nous décidons à ce sujet par la présente constitution qu'aussi bien elle que toute autre moniale qui s'imagine, par un tel calcul, se soustraire à l'habit religieux pour les attraits du monde ou donner ses biens à qui que ce soit moyennant un calcul aussi inique, qu'aussi bien elle qui a décidé de faire ce don que tous ceux qui l'ont accepté soient exclus de la grâce de la communion jusqu'à ce que, par la digne satisfaction de la pénitence, ils restituent ces biens à ceux de qui ils les avaient reçus. Ainsi, la discipline religieuse ne sera pas, Dieu nous en préserve, violée sous la pression de la convoitise.

Souscriptions
d'après les manuscrits de Berlin (lat. 435),
de Paris (lat. 3846) et du Vatican (Pal. lat. 3827)

Noms des évêques qui ont souscrit à ce concile :

Priscus, au nom de Dieu, évêque de l'église de Lyon, j'ai souscrit à notre constitution.

Evantius, pécheur, de l'église de Vienne, j'ai souscrit à notre constitution.

Artemius, évêque de l'église de Sens, j'ai souscrit à notre constitution.

Remedius in Christi nomine episcopus ecclesiae Bituriuae constitutionem nostram subscripsi.

Gallomagnus in Christi nomine episcopus ecclesiae Tricassinae constitutionem nostram subscripsi.

Siluester in Christi nomine episcopus ecclesiae Visoncensis constitutionem nostram subscripsi.

Siagrius in Christi nomine episcopus ecclesiae Eduorum constitutionem nostram subscripsi.

Aunacharius in Christi nomine episcopus ecclesiae Autricae constitutionem nostram subscripsi.

Vsicius episcopus ecclesiae Grecinopolitani constitutionem nostram subscripsi.

Victor episcopus ecclesiae Tricassinae constitutionem nostram subscripsi.

Eraclius episcopus ecclesiae Diensis constitutionem nostram subscripsi.

Ragnoaldus episcopus ecclesiae Valentinae subscripsi.

Namicius episcopus ecclesiae Aurilianensis subscripsi.

Eusebius episcopus ecclesiae Matescensis subscripsi.

Agrecola episcopus ecclesiae Nibernensis subscripsi.

Mummulus episcopus ecclesiae Lingonicae subscripsi.

Flauus episcopus ecclesiae Cabillonensis subscripsi.

Hiconius episcopus ecclesiae Mauriennatis subscripsi.

Pappus episcopus ecclesiae Aptensis subscripsi.

Artemius episcopus ecclesiae Vasensis subscripsi.

Martianus episcopus ecclesiae Terentasiae subscripsi.

Expliciunt sinodus Matascensis, qui factus est anno XXII. regni domni nostri Gunthramni regis, die kal. Nouembris, indicione XV.

---

1. *Esychius* dans les autres mss.

Remedius, au nom du Christ, évêque de l'église de Bourges, j'ai souscrit à notre constitution.

Gallomagnus, au nom du Christ, évêque de l'église de Troyes, j'ai souscrit à notre constitution.

Silvestre, au nom du Christ, évêque de l'église de Besançon, j'ai souscrit à notre constitution.

Syagrius, au nom du Christ, évêque de l'église d'Autun, j'ai souscrit à notre constitution.

Aunacharius, au nom du Christ, évêque de l'église d'Auxerre, j'ai souscrit à notre constitution.

Usicius [1], évêque de l'église de Grenoble, j'ai souscrit à notre constitution.

Victor, évêque de l'église de Saint-Paul-Trois-Châteaux, j'ai souscrit à notre constitution.

Heraclius, évêque de l'église de Digne, j'ai souscrit à notre constitution.

Ragnoaldus, évêque de l'église de Valence, j'ai souscrit.

Namatius, évêque de l'église d'Orléans, j'ai souscrit.

Eusèbe, évêque de l'église de Mâcon, j'ai souscrit.

Agricola, évêque de l'église de Nevers, j'ai souscrit.

Mummolus, évêque de l'église de Langres, j'ai souscrit.

Flavius, évêque de l'église de Chalon, j'ai souscrit.

Hiconius, évêque de l'église de Maurienne, j'ai souscrit.

Pappus, évêque de l'église d'Apt, j'ai souscrit.

Artemius, évêque de l'église de Vaison, j'ai souscrit.

Martianus, évêque de l'église de Tarentaise, j'ai souscrit.

Ici s'achèvent les canons du concile de Mâcon, qui s'est tenu la 22e année du règne de notre seigneur le roi Gontran, le jour des calendes de novembre, en la 15e indiction.

CONCILE DE LYON III [1]
(mai 583)

Sous la présidence de Priscus, archevêque de Lyon, se réunirent sept évêques de cette province ou des provinces voisines ; douze représentants d'évêques dont on ignore le siège se joignirent à eux. Les actes du concile sont brefs. Les six canons concernent les sujets les plus divers, déjà envisagés dans les assemblées précédentes, notamment à Tours en 567 : l'interdiction faite aux clercs de vivre avec des femmes (c. 1), les lettres de recommandation émanant des évêques (c. 2), les religieuses (c. 3), les unions incestueuses (c. 4), les célébrations de Noël et de Pâques (c. 5), le secours dû aux lépreux (c. 6).

TRANSMISSION : Est-ce à cause de son manque d'originalité ? Toujours est-il que l'ensemble du concile n'est connu que par l'édition qu'en a donnée Surius en 1567. 3 manuscrits de la *Vetus Gallica* ont conservé le canon 6, tandis que le canon 5 figure dans la collection de Bourgogne.

---

1. Cf. Ceillier, XI, p. 895 ; Hefele-Leclercq, III[1], p. 206-207 ; De Clercq, *Législation,* p. 48-49.

CONCILIVM LVGDVNENSE
583. Mai.

SYNODVS HABITA IN CIVITATE LVGDVNENSI
MENSE MAIO ANNO XXII
REGNI GLORIOSISSIMI DOMINI GVNTRAMNI REGIS

1. Multa quidem anterioribus temporibus uenerabilium patrum sanxit authoritas ; nunc tamen, quia crescente Deo propitio fide oportet in clero uel populo catholico meliora salubri pontificum consilio renouari, idcirco beatissimorum patrum statuta reminiscentes huius tituli definitione sancimus, ut nullum clericum ab ordine sancto antistitis usque ad subdiaconi gradum mulierem praeter matrem, amitam et sororem in hospitio suo habere liceat. Placuit etiam, ut, si quicunque uxoribus iuncti ad diaconatus aut presbyteratus ordinem quoquo modo peruenerint, non solum lecto, sed etiam frequentatione quotidiana debeant de uxoribus suis sequestrari. Quod si, quod Deus auertat, de eorum familiari contubernio post acceptam benedictionem infans natus paruerit, ab officii gradu priuetur.

2. Id etiam de epistolis placuit captiuorum, ut ita sint sancti pontifices cauti, ut in seruitio pontificum consistentibus, qui eorum manu uel subscriptione agnoscantur, epistolae aut quaelibet insinuationum literae dari debeant, quatenus de subscriptionibus nulla ratione possit Deo propitio dubitari. Et epistola commendationis pro necessitate cuiuspiam promulgata, dies datarum et precia

---

1. Texte mal conservé. Déjà SIRMOND regrettait de ne pas disposer de mss pour l'améliorer (MANSI, IX, col. 944). Le texte latin ici donné est celui de MAASSEN - DE CLERCQ, mais là où Maassen corrige *agnoscat* de SURIUS en *agnoscantur,* nous supposons *agnoscant : manu(m) uel subscriptione(m) agnoscant.*

CONCILE DE LYON
mai 583

CONCILE TENU EN LA CITÉ DE LYON
AU MOIS DE MAI, LA XXIIᵉ ANNEÉ
DU RÈGNE DE NOTRE TRÈS GLORIEUX SEIGNEUR
LE ROI GONTRAN

1. Dans les temps passés, l'autorité des vénérables Pères a fixé de nombreuses prescriptions ; mais à présent, étant donnés, grâce à Dieu, les progrès de la foi, il faut qu'elles soient renouvelées en mieux par la salutaire délibération des pontifes. C'est pourquoi, nous rappelant les statuts des très saints Pères, nous prescrivons par ce premier canon qu'il ne soit pas permis à aucun clerc, depuis le saint ordre de l'épiscopat jusqu'au degré du sous-diaconat, d'avoir à son domicile une femme autre que sa mère, sa tante et sa sœur. Il a été décidé aussi que, si des hommes mariés parviennent d'une façon ou de l'autre au degré du diaconat ou de la prêtrise, ils doivent se séparer de leurs femmes, non seulement quant au lit, mais aussi quant à la vie quotidienne. Et si, ce qu'à Dieu ne plaise, on voyait, après la réception de l'ordination, un enfant naître de leur cohabitation familière, que ce clerc soit privé de son rang et de son office.

2. Il a aussi été décidé, au sujet des lettres en faveur des captifs, que les saints pontifes prennent la précaution de remettre ces lettres, ou toutes autres lettres de notification, à des gens attachés au services des pontifes, qui reconnaissent leur main et leur souscription [1], de façon que, grâce à Dieu on ne puisse aucunement mettre en doute ces souscriptions. Et lorsque des lettres de recommandation sont délivrées au sujet des besoins de quel-

constituta uel necessitates captiuorum, quos cum epistolis
dirigunt, ibidem inserantur.

3. Puellae uero, quae conniuentia parentum suorum se
uoluntarie dedicauerint et intra monasterium puellarum
conclusionem elegerint et se, de eodem monasterio quacunque animi leuitate aut uilitate corporis extra captiuitatis incursum uoluntate sua subtraxerint et de
conuersatione religiosa cuiuscunque uocationis spiritu se-
culi delectationes elegerint, quousque in monasterium,
unde egressae sunt, reuertantur, a communionis gratia
segregentur ; uiaticum tamen illis miserationis intuitu
praebeatur.

4. De incestis uero coniunctionibus hoc placuit custodiri, quod prisca canonum statuta sanxerunt.

5. Et ut nullus episcoporum natalem Domini aut pascha alibi nisi ad ecclesiam suam praeter infirmitatis incursum aut ordinem regium celebrare praesumat.

6. Placuit etiam uniuerso concilio, ut uniuscuiusque
ciuitatis leprosi, qui intra territorium ciuitatis ipsius aut
nascuntur aut uidentur consistere, ab episcopo ecclesiae
ipsius sufficientia alimenta et necessaria uestimenta accipiant, ut illis per alias ciuitates uagandi licentia denegetur.

1. *Dies datarum* : c'est l'exemple donné pour *datae = data*, par
Niermeyer.
2. *Captiuitatis incursum* (cf. c. 5, *infirmitatis incursum*) : acception
de *captiuitas* proche de la langue romane (*captiuum* → « chétif »).
3. Voir le c. 21 du concile de Tours de 567.
4. Voir le c. 4 du concile de Tours de 567.
5. *Ordo* au sens de « commandement », « ordre ». Encore une acception très tardive : le présent exemple est cité par Niermeyer.

qu'un, qu'y soient spécifiés la date [1], le prix convenu et les besoins des captifs qu'on envoie munis de ces lettres.

3. Que les jeunes filles qui, avec l'accord de leurs parents, se sont volontairement consacrées et ont choisi la clôture dans un monastère de filles, mais qui se sont, de leur propre volonté, retirées de ce monastère par légèreté d'esprit ou lâcheté du corps, hors le cas d'une grave infirmité survenue [2], et qui ont préféré à la vie religieuse, inspirée de quelque vocation que ce soit, les attraits du siècle, soient, jusqu'à ce qu'elles retournent au monastère d'où elles sont sorties, exclues de la grâce de la communion ; qu'on leur accorde toutefois le viatique, dans une pensée de miséricorde [3].

4. Au sujet des unions incestueuses, il a été décidé que soit observé ce qu'ont fixé les anciens statuts canoniques [4].

5. Et qu'aucun évêque ne se permette de célébrer la Nativité du Seigneur ou Pâques ailleurs qu'en sa propre église, sauf le cas d'une infirmité survenue ou celui d'un ordre du roi [5].

6. Il a aussi été décidé par tout le concile que les lépreux de chaque cité, qu'ils soient nés sur le territoire de cette cité ou qu'ils se trouvent y résider, reçoivent de l'évêque de cette église les aliments suffisants et les vêtements nécessaires [6], moyennant quoi leur sera déniée la faculté d'errer par les autres cités [7].

---

6. Voir le c. 21 du concile d'Orléans V.
7. Voir le c. 5 du concile de Tours de 567. — Le c. 6 figure dans la *Vetus Gallica* 31, 7.

Subscriptiones episcoporum :

Priscus in Christi nomine episcopus ecclesiae Lugdunensis constitutionibus nostris subscripsi.

Euantius in Christi nomine episcopus ecclesiae Viennensis constitutionibus nostris subscripsi.

Siagrius in Christi nomine episcopus ecclesiae Heduorum constitutionibus nostris subscripsi.

Isitius in Christi nomine episcopus ecclesiae Gratianopolitanae constitutionibus nostris subscripsi.

Ragnoaldus in Christi nomine episcopus ecclesiae Valentinae subscripsi.

Eusebius in Christi nomine episcopus ecclesiae Matescensis subscripsi.

Agricola in Christi nomine episcopus ecclesiae Niuernensis subscripsi.

Flauius in Christi nomine episcopus ecclesiae Cabilonensis subscripsi.

Et missi episcoporum, qui hos canones subscripserunt, duodecim.

---

1. Est-ce SURIUS, ou déjà son manuscrit, qui a malheureusement résumé ainsi une liste qui serait précieuse ?

Souscriptions des évêques :

Priscus, au nom du Christ, évêque de l'église de Lyon, j'ai souscrit à nos constitutions.

Evantius, au nom du Christ, évêque de l'église de Vienne, j'ai souscrit à nos constitutions.

Syagrius, au nom du Christ, évêque de l'église d'Autun, j'ai souscrit à nos constitutions.

Isitius, au nom du Christ, évêque de l'église de Grenoble j'ai souscrit à nos constitutions.

Ragnoaldus, au nom du Christ, évêque de l'église de Valence j'ai souscrit.

Eusèbe, au nom du Christ, évêque de l'église de Mâcon, j'ai souscrit.

Agricola, au nom du Christ, évêque de l'église de Nevers, j'ai souscrit.

Flavius, au nom du Christ, évêque de l'église de Chalon, j'ai souscrit.

Plus douze délégués d'évêques, qui ont souscrit à ces canons [1].

CONCILE DE MÂCON II [1]
(23 octobre [?] 585 [2])

Le second concile de Mâcon se présente comme un important concile de l'ensemble de la nation franque ; sous la présidence de Priscus, évêque de Lyon, l'assemblée prie pour Gontran, roi de Bourgogne et tuteur du roi de Paris, Clotaire II. Gontran, en effet, avait pris l'initiative de ce concile qui rassembla sept métropolitains, quarante-sept évêques et douze représentants. Les évêques venaient du royaume de Gontran ou de celui de Clotaire II. L'épiscopat du royaume de Childebert II ne participait pas au synode. Presque tous les sièges des provinces de Lyon, Bordeaux, Vienne et Sens étaient représentés. L'évêque de Toulouse se rendait pour la première fois à un concile franc.

Les vingt canons abordent des sujets variés de discipline ecclésiastique : le respect du repos dominical (c. 1 et 4), la célébration des baptêmes (c. 2 et 3). Le canon 5 constitue l'une des premières dispositions contraignant les fidèles à verser la dîme sous peine d'excommunication. Les Pères réglementent la célébration des messes (c. 6), les sépultures (c. 17), les honneurs dus par les laïques

1. Cf. HEFELE-LECLERCQ, III[1], p. 208-214 ; DE CLERCQ, *Législation*, p. 51-55.
2. L'année 585 est la 24e du règne de Gontran ; la date du 23 octobre est suggérée par un passage de GRÉGOIRE DE TOURS, *Hist. Franc.*, VIII, 7. C'est sans doute durant ce concile que fut confirmée la fondation de l'abbaye Saint-Marcel de Chalon : cf. DE CLERCQ, p. 234-237.

aux clercs (c. 15). Plusieurs dispositions tendent à assurer la protection des faibles, en précisant les règles de l'hospitalité (c. 11 et 13), en protégeant en justice veuves et orphelins (c. 12), en réaffirmant le droit d'asile (c. 8), en réprimant la spoliation des pauvres par les puissants (c. 14), en étendant la compétence des juridictions ecclésiastiques (c. 7, 9, 10 et 12). Comme dans tous les conciles de cette époque, les interdits matrimoniaux sont rappelés (c. 16 et 18).

Le roi Gontran publia les ordonnances du concile dans un édit du 10 novembre 585, adressé aux évêques et aux comtes [3].

TRANSMISSION : Malgré le grand nombre d'évêques présents et malgré la confirmation donnée par le roi, les actes du concile ne sont connus que par un nombre limité de manuscrits. Ils figurent dans la collection de Saint-Amand et dans celle de Beauvais.

DESTINÉE ULTÉRIEURE : Le concile a été très inégalement repris par les canonistes ultérieurs : 10 canons se retrouvent dans la *Vetus Gallica* (c. 1, 2, 3, 4, 5, 6, 10, 11, 12, 13) ; 3 dans la seconde collection de Freising (c. 1, 2, 4) ; 6 dans la collection de Bonneval (c. 1, 2, 3, 4, 10, 13) ; 2 chez Benoît le Lévite (c. 10 et 19) ; 3 dans les Décrets de Burchard de Worms et d'Yves de Chartres (c. 4, 8 et 9), mais aucun dans celui de Gratien.

3. Édition de BORETIUS : *MGH, Capitularia regum francorum* 1 (1883), n° 5, p. 11-12.

CONCILIVM MATISCONENSE
585. (Oct. 23 ?)

SINODVS HABITA IN CIVIVM MATESCENSE
ANNO XXIIII
REGNI GLORIOSISSIMI GVNTRAMNI REGIS

Resedentibus Prisco, Euantio, Praetextato, Berte-chramno, Artemio, Sulpitio metropolitanis episcopis cum omnibus consacerdotibus eorum, Priscus episcopus patriarcha dixit : « Gratias agimus Domino Deo nostro, fratres et consacerdotes mei, qui nos in hac die congregans alterna nos facit sospitate gaudere. » Ceteri episcopi responderunt : « Gaudemus, frater sanctissime, quod omnes episcopi, qui in regno gloriosissimi domni Gunthramni regis episcopali honore funguntur, in uno se conspiciunt quoadunati concilio. Propterea indesinenter omnes nos orare oportet, ut Dei omnipotentis maiestas et regis nostri incolumitatem solita pietate conseruet et nos omnes, qui membra sumus unius sub nostro capite quoadunati, illa nos operare concedat, quae serenitati ac maiestati eius rite conplaceant. » Vniuersi episcopi dixerunt : « Congratulamur et nos, patres sanctissimi, qui per interualla temporum separati hodie noscimur post tot temporum curricula fraterna dilectione corporaliter iungi ; ideoque petimus, ut, quae tractanda sunt, uobis praecipientibus celeriter pertractentur, ne nos saeuae hiemis procellosa tempestas a sedibus propriis longitudine sua, quantum longe est, arceat. » Metropolitani omnes

---

1. Il s'agit des métropolitains de Lyon, Vienne, Rouen, Bordeaux, Sens, Bourges.

2. Titre attribué aux principaux métropolitains.

CONCILE DE MÂCON
(23 octobre ?) 585

CONCILE TENU DANS LA VILLE DE MÂCON
LA XXIIIIe ANNÉE
DU TRÈS GLORIEUX ROI GONTRAN

Tandis que siégeaient les évêques métropolitains [1] Priscus, Evantius, Prétextat, Bertechramnus, Artemius, Sulpicius, avec tous leurs collègues dans l'épiscopat, l'évêque patriarche [2] Priscus dit : « Nous rendons grâce à Dieu notre Seigneur, mes frères et collègues dans l'épiscopat, puisque, en nous réunissant aujourd'hui, il nous donne de nous réjouir de la santé les uns des autres. » Les autres évêques (métropolitains) répondirent : « Nous nous réjouissons, très saint frère, de ce que tous les évêques qui s'acquittent du ministère épiscopal dans le royaume du très glorieux roi Gontran se voient réunis en une même assemblée. C'est pourquoi nous devons tous prier incessamment pour que la majesté du Dieu tout-puissant conserve avec sa bonté coutumière la santé de notre roi et nous accorde, à nous tous qui, membres d'un seul corps [3], sommes réunis sous notre chef, de réaliser ce qui plaît à bon droit à sa sérénité et à sa majesté. » Tous les évêques dirent : « Nous nous félicitons, nous aussi, très saints Pères, puisque, séparés durant de longs délais, nous nous voyons aujourd'hui, après de tels espaces de temps, personnellement assemblés par l'amour fraternel. Aussi demandons-nous que les questions à traiter soient, selon vos directives, rapidement réglées, afin que les bourrasques d'un rude hiver ne nous retiennent pas, par leur durée, éloignés trop longtemps de nos sièges respectifs. » Tous les métropolitains dirent : « Avec l'aide de

---

3. *Vnius < corporis >*, conjecture de MAASSEN.

dixerunt : « Deo auxiliante communi deliberatione singula, quae necessaria sunt, a nobis definientur. Hoc uniuersae uestrae fraternitati suademus, ut ea, quae Spiritu sancto dictante per ora omnium nostrorum terminata fuerint, per omnes ecclesias innotescant, ut unusquisque, quid obseruare debeat, sine aliqua excusatione condiscat. Quoniam nos indiuidua Trinitas, quemadmodum spiritu, corpore quoque in uno copulauit conuentu, debemus sapienti consilio omnibus subuenire, ne forte taciturnitas nostra et nobis praeiudicium Diuinitatis afferat et subiectos in temtatione inducat. »

1. Videmus enim populum christianum temerario more diem dominicam contemtui tradere et sicut in priuatis diebus operibus continuis indulgere. Propterea per hanc sinodalem nostram epistolam decernimus, ut unusquisque nostrum in sacrosanctis ecclesiis admoneat sibi subditam plebem ; et si quidem admonitioni consensum praebuerint, suis proderunt utilitatibus, sin autem, subiacebunt poenis a nobis diuinitus definitis. Omnes itaque christiani, qui non incassum hoc nomine fruimini, nostrae admonitioni aurem accomodate, scientes, quoniam nostrae est auctoritatis utilitati uestrae prospicere et a malis operibus cohercere. Custodite diem dominicam, quae nos denuo peperit et a peccatis omnibus liberauit. Nullus uestrum litium fomitibus uacet, nullus ex uobis causarum actiones exerceat, nemo sibi talem necessitatem exhibeat, quae iugum ceruicibus iuuencorum imponere cogat. Estote omnes in himnis et laudibus Dei animo corporeque intenti. Si quis uestrum proximam habet ecclesiam, properet ad eandem et ibi dominico die semetipsum precibus lacrymisque afficiat. Sint oculi manusque uestrae toto illo die ad Deum expansae. Ipse est igitur dies requietionis

Dieu, chacun des points qu'il faut traiter sera défini par nous en une délibération commune. Et nous recommandons à toute votre fraternité de porter à la connaissance de toutes les églises ce qui aura été déterminé, sous la dictée du Saint Esprit, par notre bouche à tous, afin que chacun, sans n'avoir plus aucune excuse, soit instruit de ce qu'il doit observer. Puisque l'indivisible Trinité nous a réunis, aussi bien d'esprit que de corps, en une seule assemblée, nous devons avec une sage prudence venir en aide à tous, de crainte que notre silence nous vaille la réprobation de la Divinité et n'expose nos sujets à la tentation. »

1. Nous voyons en effet que le peuple chrétien a la fâcheuse habitude de mépriser le jour du Seigneur et de s'y livrer aux travaux courants comme les jours ordinaires. C'est pourquoi nous décidons par notre présente lettre synodale que chacun d'entre nous avertisse dans les saintes églises le peuple qui dépend de lui : si les gens apportent leur consentement à cet avertissement, ils agiront pour leur bien ; mais s'ils ne le font pas, ils subiront les peines définies par nous sous l'inspiration divine. Ainsi, vous tous, les chrétiens qui ne portez pas en vain ce nom, prêtez l'oreille à notre avertissement, sachant qu'il est de notre responsabilité de veiller à votre bien et de vous empêcher de faire le mal. Observez le jour du Seigneur, qui nous a fait renaître et nous a libérés de tous nos péchés. Qu'aucun de vous ne s'emploie à attiser des disputes ; qu'aucun d'entre vous n'intente d'action en justice ; que personne ne s'imagine une urgence telle qu'elle oblige à mettre le joug à la nuque des bœufs. Soyez tous attentifs, de l'esprit et du corps, aux hymnes et aux louanges de Dieu. Si l'un de vous se trouve proche d'une église, qu'il y coure, et que, le dimanche, il s'y applique aux prières et aux larmes. Que vos yeux et vos mains, tout ce jour-là, soient levés vers Dieu. C'est là en

perpetuus, ipse nobis per septimi diei umbram insinuatus
noscitur legibus et profetis. Iustum igitur est, ut hanc
diem unanimiter celebremus, per quam facti sumus, quod
non fuimus ; fuimus enim ante serui peccati, sed per eam
facti sumus filii iustitiae. Exhibeamus Domino liberam
seruitutem, cuius nos nouimus pietate de ergastulis libe-
ratos erroris, non quia hoc Dominus noster a nobis
expetit, ut corporali abstinentia diem dominicam celebremus, sed quaerit obedientiam, per quam nos calcatis
terrenis actibus coelum usque misericorditer prouehat. Si
quis itaque uestrum hanc salubrem exhortationem parui
penderit aut contemtui tradiderit, sciat se pro qualitatis
merito principaliter a Deo puniri et deinceps sacerdotali
quoque irae implacabiliter subiacere ; si causidicus fuerit,
irreparabiliter causam amittat ; si rusticus aut seruus,
grauioribus fustium ictibus uerberabitur ; si clericus aut
monachus, mensibus sex a consortio suspendetur fratrum.
Haec namque omnia et placabilem erga nos Dei animum
reddunt et plagas morborum uel sterilitatum amouent
atque repellunt. Noctem quoque ipsam, quae nos inspi-
ratae luci inaccessibili reddit, spiritalibus exigamus ex-
cubiis nec dormiamus in ea, quemadmodum dormitant,
qui nomine tenus christiani esse noscuntur, sed oremus
et uigilemus operibus sacris, ut digni habeamur in regno
haeredes fieri Saluatoris.

2. Pascha itaque nostrum, in quo summus sacerdos ac
pontifex pro nostris delictis nullam habens obnoxiatio-
nem peccati immolatus est, debemus omnes festissime
colere et sedulae obseruationis sinceritate in omnibus
uenerari, ut illis sanctissimis sex diebus nullus seruile

1. Voir le c. 31 du concile d'Orléans III. — Ce c. 1 figure dans :
Vetus Gallica 23, 4 ; ms. de Bonneval 29, 11.

effet le jour perpétuel du repos, celui qui est signifié par les lois et les prophètes sous la figure du septième jour. Il est donc juste que nous célébrions d'un même cœur le jour grâce auquel nous sommes devenus ce que nous n'étions pas : nous étions en effet auparavant esclaves du péché, et grâce à lui nous sommes devenus fils de la justice. Acquittons-nous d'une libre servitude envers le Seigneur, par la miséricorde duquel nous nous savons libérés des prisons de l'erreur. Non pas que le Seigneur réclame de nous que nous célébrions le dimanche par l'abstinence corporelle : il demande l'obéissance, grâce à laquelle, les actions terrestres foulées aux pieds, il nous mène miséricordieusement jusqu'au ciel. Ainsi donc, si l'un d'entre vous fait peu de cas de cette exhortation salutaire ou la traite avec mépris, il est, qu'il le sache, en premier lieu, puni par Dieu comme il le mérite, et ensuite, implacablement, sujet aussi à la colère des évêques. S'il est avocat, qu'il perde irréparablement son procès. S'il est paysan ou esclave, il sera fustigé de rudes coups de bâton. S'il est clerc ou moine, il sera suspendu six mois de la compagnie de ses frères. Tout cela, d'une part, rend l'esprit de Dieu indulgent envers nous, et de l'autre écarte ou repousse les coups de la maladie et de la stérilité. Même la nuit, qui nous ramène à la lumière inaccessible inspirée d'en-haut, employons-la aux veilles spirituelles, et ne nous y endormons pas comme dorment ceux qui ne sont chrétiens que de nom, mais prions et veillons en de saintes occupations, de façon à être reconnus dignes de devenir dans le Royaume les héritiers du Sauveur [1].

2. Notre Pâque, en laquelle le souverain prêtre et pontife a été immolé pour nos péchés, sans la culpabilité d'aucune faute, tous nous devons la célébrer en grande fête et la vénérer de toutes les façons dans la sincérité d'un cœur empressé : que durant ces six jours très saints

opus audeat facere, sed omnes simul quoadunati himnis paschalibus indulgentes perseuerationis nostrae praesentiam cotidianis sacrificiis ostendamus, laudantes creatorem ac regeneratorem nostrum uespere, mane et meridie.

3. Relatione quorumdam fratrum nostrorum comperimus christianos non obseruantes legitimum diem baptismi paene per singulos dies ac natales martirum filios suos baptizare, ita ut uix duo uel tres repperiantur in sanctum pascha, qui per aquam et Spiritum sanctum regenerentur. Idcirco censemus, ut ex hoc tempore nullus eorum permittatur talia perpetrare, praeter illos, quos infirmitas nimia aut dies extremus compellit filios suos baptismum percipere. Ideoque praesentibus admonitionibus a suis erroribus uel ignorantia reuocati omnes omnino a die quadragensimo cum infantibus suis ad ecclesiam obseruare praecipimus, ut inpositionem manus certis diebus adepti et sacri olei liquore peruncti legitimi diei festiuitate fruantur et sacro baptismate regenerentur, quo possint et honoribus, si uita comes fuerit[a], sacerdotalibus fungi et singularis celebrationis solemnitate frui.

4. Resedentibus nobis in sancto concilio cognouimus quosdam christianos relatu fratrum a mandato Dei aliquibus locis deuiasse, ita ut nullus eorum legitimo obsecundationis parere uellit officio Deitatis, dum sacris altaribus nullam admouent hostiam. Propterea decernimus, ut omnibus dominicis diebus aris oblatio ab omnibus uiris uel mulieribus offeratur tam panis quam uini, ut per has immolationes et peccatorum suorum fascibus

a. Cf. IV Rois 4, 16 ; etc.

1. Le c. 2 figure dans : *Vetus Gallica* 23, 3 ; ms. de Bonneval 29, 10.

2. Le c. 3 figure dans : *Vetus Gallica* 21, 4 ; ms. de Bonneval 29, 3.

personne n'ose faire un travail servile, mais que tous, rassemblés et unis, vaquant au chant des hymnes pascales, nous nous montrions assidûment présents aux sacrifices quotidiens, louant l'auteur de notre création et de notre régénération le soir, le matin et à midi [1].

3. Sur le rapport de certains de nos frères, nous avons appris que des chrétiens, n'observant pas le jour légal du baptême, baptisent leurs enfants presque à tous les jours de fête et aux anniversaires des martyrs, si bien qu'au saint jour de Pâques il s'en trouve à peine deux ou trois à être régénérés par l'eau et l'Esprit Saint. En conséquence nous décidons que dorénavant il ne soit permis à aucun d'eux de commettre un tel abus, à l'exception de ceux qu'une maladie grave ou la venue du dernier jour contraint à faire administrer le baptême à leurs enfants. C'est pourquoi nous prescrivons par le présent mandement que tous, revenus de leurs erreurs et de leur ignorance, se présentent à l'église le premier jour de Carême avec leurs enfants, pour que ceux-ci après avoir reçu l'imposition de la main aux jours fixés et avoir été oints de l'huile sainte, participent à la solennité du jour légal et soient régénérés par le saint baptême, qui leur permettra, si la vie les favorise[a], d'exercer les charges sacerdotales et de participer à la solennité de chacune des célébrations [2].

4. Siégeant au saint concile, nous avons appris, sur le rapport de nos frères, que des chrétiens se sont, en certains endroits, à tel point écartés de la loi de Dieu qu'aucun d'eux ne veut satisfaire au devoir légitime de soumission à Dieu, en ce qu'ils n'apportent nulle offrande au saint autel. C'est pourquoi nous décrétons que, tous les dimanches, l'offrande à l'autel soit présentée par tous, hommes et femmes, aussi bien le pain que le vin, afin que par ces sacrifices ils soient libérés du faix de leurs

careant et Abel uel ceteris iuste offerentibus promereantur esse consortes. Omnis autem, qui definitiones nostras per inoboedientiam euacuare contendit, anathema percellatur.

5. Omnes igitur reliquas fidei sanctae catholicae causas, quas temporis longitudine cognouimus deterioratas fuisse, oportet nos ad statum pristinum reuocare, ne nos nouis simus aduersarii, dum ea, quae cognoscimus ad nostri ordinis qualitatem pertinere, aut non corrigimus aut, quod nefas est, silentio praeterimus. Leges itaque diuinae consulentes sacerdotibus ac ministris ecclesiarum pro hereditaria portione omni populo preceperunt decimas fructuum suorum locis sacris praestare, ut nullo labore inpediti horis legitimis spiritalibus possint uacare misteriis, quas leges christianorum congeries longis temporibus custodiuit intemeratas. Nunc autem paulatim praeuaricatores legum pene christiani omnes ostenduntur, dum ea, quae diuinitus sancita sunt, adimplere neglegunt. Vnde statuimus ac decernimus, ut mos antiquus a fidelibus reparetur et decimas ecclesiasticis famulantibus ceremoniis populus omnis inferat, quas sacerdotes aut in pauperum usibus aut captiuorum redemptionem prerogantes suis orationibus populo pacem ac salutem impetrent. Si quis autem contumax nostris statutis saluberrimis fuerit, a membris ecclesiae omni tempore separetur.

1. Le c. 4 figure dans : *Vetus Gallica* 26, 4 et 62, 5 ; ms. de Bonneval 31, 5 ; Yves de Chartres, Décret II, 34 et 41.
2. *Nouis* est a corriger en *nobis*.
3. Sur l'ensemble du texte, cf. P. VIARD, *Histoire de la dîme ecclésiastique en France, jusqu'au « Décret de Gratien »*, Dijon 1909, p. 55. Le concile est peut-être le premier à établir l'excommunication comme sanction en cas de non-paiement de la dîme ; il faudra attendre 779

péchés et méritent d'être associés à Abel et aux autres
auteurs de justes offrandes. Et que quiconque tente, par
sa désobéissance, d'infirmer nos décisions soit frappé de
l'anathème [1].

5. Tous les autres intérêts de la sainte foi catholique
dont nous savons qu'ils ont été compromis au fil des
temps, nous nous devons de les restaurer en leur état
primitif, afin de ne pas nous mettre en contradiction avec
nous-mêmes [2], soit en ne rectifiant pas ce qui intéresse,
nous le savons, la dignité de l'ordre épiscopal, soit, ce
qui serait scandaleux, en le passant sous silence. Or les
lois divines, veillant aux intérêts des prêtres et des ministres de l'Église, ont, pour leur tenir lieu de part
d'héritage, prescrit à tout le peuple de verser aux lieux
saints les dîmes de leurs récoltes, afin que, n'étant empêchés par aucun travail, prêtres et ministres puissent,
aux heures régulières, vaquer aux ministères spirituels.
Ces lois, la masse des chrétiens les a gardées longtemps
inchangées. Mais à présent, peu à peu, presque tous les
chrétiens se montrent des violateurs des lois, en négli-
geant d'accomplir ce qui a été fixé par Dieu. Aussi nous
statuons et décrétons que l'usage ancien soit remis en
honneur par les fidèles, et que tout le peuple verse les
dîmes à ceux qui s'acquittent du culte de l'Église : les
prêtres, en les dépensant pour les besoins des pauvres ou
pour le rachat des captifs, obtiendront au peuple par
leurs prières la paix et le salut. Si quelqu'un se montre
rebelle à nos très salutaires dispositions, qu'il soit en tout
temps retranché des membres de l'Église [3].

(capitulaire de Heristall), pour que le paiement de la dîme soit une
obligation imposée par le bras séculier. — Le c. 5 figure dans la *Vetus
Gallica* 30 et 62, 6.

6. Item decernimus, ut nullus presbiterorum confertus cibo aut crapulatus uino sacrificia contrectare aut missas priuatis festisque diebus praesumat concelebrare ; iniustum est enim, ut spiritali alimento corporale praeponatur. Sed si quis hoc adtemptare curauerit, dignitatem amittat honoris. Iam enim de tali causa et in conciliis Africanis definitum est, quam definitionem nostrae quoque dignum duximus sociare ; cetera et ad locum : « Sacramenta excepta quinta feria pasche non nisi a ieiunis concelebrentur. » Quaecumque reliquiae sacrificiorum post peractam missam in sacrario supersederint, quarta uel sexta feria innocentes ab illo, cuius interest, ad ecclesiam adducantur et indicto eis ieiunio easdem reliquias conspersas uino accipiant.

7. Dum postea uniuerso coetui secundum consuetudinem recitata innotescerent, Praetextatus et Pappolus uiri beatissimi dixerunt : « Decernat itaque et de miseris libertis uestrae auctoritatis uigor insignis, qui ideo plus a iudicibus affliguntur, quia sacris sunt commendati ecclesiis, ut, quas se quispiam dixerit contra eos actiones habere, non audeat eas magistratui cumtradere, sed in episcopi tantum iudicio, in cuius presentia litem contestans quae sunt iustitiae ac ueritatis, audiat. Indignum est enim, ut hii, qui in sacrosancta ecclesia iure noscuntur legitimo manumissi, aut per epistolam aut per testamentum aut per longinquitatem temporis libertatis iure fruuntur, a quolibet iniustissime inquietentur. » Vniuersa

---

1. Voir le c. 28 du *Breviarum Hipponense* (cf. MUNIER, *Conc. Afr.*, p. 41).

2. Le c. 6 figure dans le *Vetus Gallica* 28, 5.

6. De même, nous décrétons qu'aucun prêtre gavé de nourriture ou enivré de vin ne se permette de toucher les espèces consacrées (*sacrificia*) ni de célébrer la messe les jours ordinaires ou les jours festifs : il est injuste en effet que l'aliment corporel passe avant le spirituel. Et si quelqu'un cherche à enfreindre cette règle, qu'il perde sa dignité et son rang. En effet, déjà une décision a été prise en pareille matière par les conciles d'Afrique [1], et nous avons jugé digne de joindre également cette décision à la nôtre ; voici le passage, après d'autres : « Que les sacrements, sauf le jeudi de Pâques, ne soient célébrés que par des officiants à jeûn. » En ce qui concerne les restes des espèces consacrées qui demeureront à la sacristie une fois la messe terminée, que le mercredi et le vendredi de jeunes enfants (*innocentes*) soient amenés à l'église par celui qui en est chargé, et qu'après avoir observé le jeûne, ils reçoivent ces restes humectés de vin [2].

7. Tandis qu'ensuite, selon l'usage, les textes, lus à haute voix, étaient portés à la connaissance de toute l'assemblée, les très saints Prétextat et Pappolus [3] dirent : « Que l'insigne vigueur de votre autorité prenne donc un décret touchant ces malheureux affranchis qui sont spécialement mal traités par les comtes parce qu'ils ont été mis sous la tutelle des saintes églises : à savoir que quiconque déclare avoir des griefs contre eux n'ait pas l'audace de les porter devant le magistrat, mais seulement au tribunal de l'évêque, pour plaider sa cause devant celui-ci et obtenir une sentence conforme à la justice et à la vérité. Il est indigne en effet que ceux que l'on sait avoir été affranchis légalement dans une église sainte ou qui jouissent de la liberté en vertu d'une lettre, ou d'un testament, ou d'une longue durée, soient inquiétés très

3. Évêques de Rouen et de Chartres.

sacerdotalis congregatio dixit : « Iustum est, ut contra calumniatorum omnium uersutias defendantur, qui patrocinium immortalis ecclesiae concupiscunt et, quicumque a nobis de libertis latum decretum superbiae nisu praeuaricare temtauerit, inreparabile damnationis suae sententia feriatur. Sed si placuerit episcopo, ut secum ordinarium iudicem aut quemlibet alium saecularem in audientiam eorum arcessiret, cum libuerit, fiat, ut nullus alius audeat per causas transire libertorum nisi episcopus, cuius interest, aut is, cui idem audiendum tradiderit. »

8. Item christianae religionis negotia pertractantes comperimus quosdam pseudochristianos de sacrosanctis ecclesiis suae religionis oblitos fugitiuos subtrahere. Ideoque uim illatam nequaquam inultam relinquentes censemus pro Dei timore, ut, quicumque culpa compellente aut potentum importunia non sustinens suae gremium matris ecclesiae petierit, usque in praesentiam sacerdotis in eodem loco inconcusse permaneat, nulli permittentes quolibet dignitatis gradu functo fugitiuo etiam in locis sacris uiolentiam inferre. Si enim mundani principes suis legibus censuerunt, ut, quicumque ad eorum statuas fugiret, inlaesus habeatur, quanto magis hi permanere debeant indemnati, qui patrocinia inmortalis regni adepti sunt celestis ? Si tamen aliquo facto tenentur obnoxii, qui ad ecclesiam sunt fugam uersi, coram sacerdote culpae eorum innotescant et ipsi consultum ferant, qualiter Dei habitaculum per subtractionem non uioletur illorum.

1. Il s'agit d'une constitution de Théodose Ier, prise en 386 (*C. Th.* 9, 44, 1, et *C.J.* 1, 25, 1) ; cette constitution ne figure pas dans le Bréviaire d'Alaric ; les Pères du concile la connaissaient probablement par un ms. du *Code Théodosien.* On remarque d'autre part que les Pères invoquent la législation païenne (une constitution relative à l'asile auprès des statues des princes) et semblent ignorer la législation relative à l'asile dans les églises chrétiennes (*C. Th.* 16, 45).

2. Lire : *ipse consultum ferat.*

injustement par qui que ce soit. » Toute l'assemblée épiscopale dit : « Il est juste que soient défendus contre les manœuvres de tous les faux accusateurs ceux qui convoitent la protection de l'Église immortelle : que quiconque tenterait, poussé par l'orgueil, de transgresser le décret porté par nous au sujet des affranchis soit frappé de la sentence imprescriptible de sa condamnation. Mais si l'évêque juge bon d'inviter avec lui pour leur procès le juge ordinaire ou tout autre séculier, que cela se fasse à volonté, à condition que personne n'ose intervenir dans les causes des affranchis, mais seulement l'évêque dont ils relèvent ou celui à qui il confie le jugement. »

8. De même, traitant en détail des intérêts de la religion chrétienne, nous avons appris que de pseudochrétiens, oublieux de leur religion, soustraient des saintes églises des fugitifs. C'est pourquoi, ne laissant nullement impunie la violence faite, nous décidons que quiconque, contraint par une faute ou ne supportant pas les tracasseries des puissants, se réfugie dans le sein de l'église sa mère, demeure là inébranlablement, sous la garde de l'évêque ; et nous ne permettons à quiconque, quel que soit le rang et la dignité qu'il occupe, d'exercer une violence contre un fugitif jusque dans les lieux saints. Si en effet les princes séculiers ont décidé par leurs lois [1] que quiconque se réfugie au pied de leurs statues demeure indemne, combien plus doivent rester à l'abri de tout dommage ceux qui se sont mis sous la protection de l'immortel royaume des cieux ! Si toutefois ceux qui se sont réfugiés à l'église sont coupables d'un méfait, que leurs fautes soient portées à la connaissance de l'évêque, et que celui-ci décide de la façon [2] dont ils pourront être saisis sans que la demeure de Dieu soit violée [3].

3. Voir le c. 22 du concile d'Orléans V. — Le c. 8 figure chez Yves de Chartres, Décret III, 110.

9. Licet reuerentissimi canones atque sacratissimae leges de episcopali audientia in ipso pene christianitatis principio sententiam protulerint, tamen quoniam eandem postpositam humana in sacerdotibus Dei incrassatur temeritas, ita ut eos de atriis uenerabilium ecclesiarum uiolenter abstractos ergastulis publicis addicant, censemus, ut episcopum nullus saecularium fascibus praeditus iure suo contumaciter ac perpere agens de sancta ecclesia, cui praeest, trahere audeat ; sed si quas intentiones aduersus episcopum potentior persona habuerit, pergat ad metropolitanum episcopum et ei causas adleget et ipsius sit potestatis honorabiliter episcopum, de quo agitur, euocare et in eius presentia accusatori respondeat et oppositas ibi actiones exerceat. Quod si talis fuerit inmanitas causae, ut eam solus metropolitanus definire non ualeat, aduocet secum unum uel duos quoepiscopos ; quod si et ipsis dubietas fuerit, conciliabulum definito die uel tempore instituant, in quo uniuersa rite collecta fraternitas coepiscopi sui causas discutiat et pro merito aut iustificet aut culpet. Nefas est enim, ut illius manibus episcopus aut iussione de ecclesia trahatur, pro quo semper Deum exorat et cui inuocato nomine Domini ad saluationem corporis animaeque eucharistiam saepe porrexit. Hoc enim decretum a nobis infixum qui fuerit audaciter transgressus, tam ipse quam omnes, qui ei consenserint, usque ad generale concilium anathemate de ecclesia suspendantur.

---

1. Les Pères pensent peut-être à la constitution prise par Constance en 355 (*C. Th.* 16, 2, 12), prévoyant que les accusations contre les évêques ne relèveraient plus de la compétence du juge séculier, mais seraient portées devant les autres évêques.

9. Bien que les très vénérables canons et les très saintes lois aient, presque dès les débuts du christianisme, porté une sentence au sujet du tribunal épiscopal [1], et puisque malgré cela, au mépris de cette sentence, l'audace des hommes s'amplifie contre les évêques de Dieu, au point qu'on les arrache violemment de l'enceinte des églises vénérables et qu'on les jette dans les cachots publics, nous décidons qu'aucun détenteur des pouvoirs séculiers n'ose, par une action téméraire et injuste, s'approprier le droit d'arracher un évêque à la sainte église à laquelle il préside. Mais si un personnage important a des motifs d'accusation contre un évêque, qu'il se rende auprès de l'évêque métropolitain et lui soumette ses griefs. Il appartiendra au pouvoir du métropolitain de citer, avec des égards, l'évêque dont il s'agit, pour qu'en sa présence celui-ci réponde à son accusateur et fasse valoir là les arguments adverses. Et si telle est la gravité de la cause que le métropolitain ne puisse la trancher seul, qu'il convoque auprès de lui un ou deux évêques ses collègues. Et si eux aussi demeurent dans le doute, qu'ils assignent à un jour ou à un temps déterminé une assemblée où tous les frères, dûment rassemblés, débattent de la cause de leur collègue et, suivant ce qu'il mérite, l'innocentent ou le disent coupable. De fait, il est scandaleux qu'un évêque soit arraché de son église par les mains ou sur l'ordre d'un homme pour lequel il prie Dieu sans cesse et auquel il a souvent, après avoir invoqué le nom du Seigneur, présenté l'eucharistie pour le salut de son corps et de son âme. Que celui qui aura l'audace de transgresser ce décret fixé par nous, et tous ses complices avec lui, soient, jusqu'au concile général, frappés d'anathème et exclus de l'église [2].

---

2. Voir le c. 17 du concile d'Orléans V. — Le c. 9 figure chez Yves de Chartres, Décret III, 110.

10. Quod de episcopis censuimus, obtineat et in clero, ut neque presbyter neque diaconus neque subdiaconus de ecclesiis trahantur aut iniuriam aliquam inscio episcopo eorum patiantur ; sed, quidquid quis aduersus eos habuerit, in notitiam episcopi proprii perducat et ipsi causam iustitia preeunte discutiens animo clericos accusantis satisfaciat.

11. Sectatores nos hospitalitatis esse non solum Dominus Iesus admonet, cum se dicit in hospitem receptum fuisse[b], sed etiam eius apostolus omnibus paene suis praeceptis. Propterea, beatissimi fratres, unusquis nostrum oportet non solum semet ipsum ad hoc opus hortari, sed etiam omnium fidelium mentes, ut possint apud Deo misericordiae operibus pro nostris peccatis intercedere et nos ei per ueram hospitalitatem reconciliare. Si quis ergo nostrum non ammonuerit aut exemplum exhortationis suae ipse prius opere non conprobarit, indignationem procul dubio incurret Domini maiestatis. Predicetur hoc nostrae mediocritatis statutum in auribus omnium christianorum.

12. Quid autem scriptura diuina de uiduis et pupillis praecipiat, nobis clam non est. Ideoque quoniam prouisioni nostrae Deo auctore causae principaliter uiduarum et pupillorum sunt commissae, peruenit ad nos, quod a iudicibus crudelius pro leuissimis causis, uelut defensore carentes, inremediabiliter adfligantur. Ob quam causam decernimus, ut iudices non prius uiduas et pupillos conue-

b. Cf. Matth. 25, 35

1. Voir le c. 7 du concile de Mâcon I. — Le c. 10 figure dans : *Vetus Gallica* 36, 10 ; ms. de Bonneval 18, 23 ; Benoît le Lévite II, 434.

10. Que notre décision au sujet des évêques vaille aussi au sujet du clergé, de telle sorte que ni un prêtre, ni un diacre, ni un sous-diacre ne soit arraché des églises ou ait à souffrir quelque injure à l'insu de leur évêque ; mais que celui qui a quelque grief contre eux le porte à la connaissance de l'évêque, et que celui-ci, examinant la cause suivant la justice, apaise l'esprit de cet accusateur des clercs[1].

11. Le zèle pour l'hospitalité nous est recommandé non seulement par le Seigneur Jésus, lorsqu'il dit que c'est lui qui a été reçu comme hôte[b], mais aussi par l'Apôtre dans presque toutes ses directives. Voilà pourquoi, très saints frères, il importe que chacun de nous, non seulement s'encourage lui-même à cette œuvre, mais aussi y encourage le cœur de tous les fidèles, pour qu'ils puissent intercéder auprès de Dieu pour nos péchés par les œuvres de miséricorde et nous réconcilier avec lui grâce à une véritable hospitalité. Si donc quelqu'un de nous ne recommande pas l'hospitalité, ou ne donne pas, le premier, en action, l'exemple de l'idéal auquel il exhorte, il encourt, sans aucun doute, l'indignation du Seigneur de majesté. Que ce statut porté par notre petitesse soit proclamé aux oreilles de tous les chrétiens[2] !

12. Ce que, d'autre part, l'Écriture sainte prescrit au sujet des veuves et des orphelins ne nous est pas inconnu. Et à ce propos, puisque c'est à notre prévoyance que par la volonté de Dieu sont principalement confiés les intérêts des veuves et des orphelins, il nous est parvenu que ceux-ci sont maltraités par les juges pour les motifs les plus légers, avec grande cruauté et sans recours, dépourvus qu'ils sont de défenseur. Pour cette raison, nous décrétons que les juges ne citent pas à comparaître

2. Le c. 11 figure dans la *Vetus Gallica* 29, 2.

niant, nisi episcopo nunciarint, cuius sub uelamine degunt
— quod si episcopus praesens non fuerit, archidiacono
uel presbytero cuidam eius —, ut pariter sedentes
communi deliberatione causis eorum terminos figant ita
iuste ac recte, ut deinceps de talibus ante dictae personae
non conquassentur. Quod si is, qui iudex est aut inpetitor,
eis iniuriam aliquam ingesserit aut definitionem tanti
concilii transgressus fuerit, a communione suspendatur.
Quibus igitur magnarum rerum curae commissae sunt,
nec minimarum dignum est parui pendere personarum ;
solent enim et minima paulatim despecta in malum ma-
gnum trahere.

13. Propterea tractatis omnibus, quae diuini uel hu-
mani iuris fuerunt, et finem usque perductis putauimus
congruum esse de canibus etiam uel accipitribus aliqua
statuere. Volumus igitur, quod episcopalis domus, quae
ad hoc Deo fauente instituta est, ut sine personarum
acceptione omnes in hospitalitate recipiat, canes non
habeat, ne forte hii, qui in ea miseriarum suarum leuamen
habere confidunt, dum infestorum canum morsibus la-
niantur, detrimentum uersa uice suorum sustineant corporum. Custodienda est igitur episcopalis habitatio
hymnis, non latratibus, operibus bonis, non morsibus
uenenosis. Vbi igitur Dei est assiduitas cantilenae, mons-
trum est de dedecoris nota canes ibi uel accipitres habitare.

14. Ex interpellatione quorumdam cognouimus calcatis
canonibus et legibus hi, qui latere regis adhaerent, uel
alii, qui potentia saeculari inflantur, res alienas competere

---

1. Le c. 12 figure dans la *Vetus Gallica* 31, 5.
2. Voir le c. 4 du concile d'Épaone. — Le c. 13 figure dans : *Vetus Gallica* 42, 1 ; ms. de Bonneval 26, 28.

des veuves et des orphelins sans avoir averti l'évêque
sous la tutelle duquel ils vivent — ou si l'évêque est
absent, son archidiacre ou un de ses prêtres — afin que,
siégeant ensemble, ils terminent leurs procès par une
délibération commune, avec tant de justice et de rectitude
que les personnes en question ne soient plus par la suite
tourmentées pour pareils sujets. Et si celui qui est le juge
ou l'accusateur leur fait subir quelque injure ou transgresse la décision d'un si grand concile, qu'il soit suspendu de la communion. Il ne convient pas en effet que
ceux à qui incombe le soin des grandes affaires fassent
peu de cas des plus petites gens, car peu à peu le mépris,
même de ce qui est le plus petit, conduit communément
à un grand mal[1].

13. Tous ces sujets, qu'ils aient été de droit divin ou
de droit humain, ayant été ainsi traités et conduits à
bonne fin, nous avons jugé opportun de fixer quelques
points encore à propos des chiens et des faucons. Nous
voulons en effet que la maison épiscopale, qui a été
établie, par la faveur de Dieu, pour recevoir tout le
monde au titre de l'hospitalité, sans acception de personne, ne possède pas de chiens, de crainte que ceux qui
comptent y trouver un soulagement à leurs misères ne
souffrent tout au contraire, en se faisant déchirer par la
morsure de chiens hargneux, un dommage pour leur
corps. La demeure épiscopale doit donc être défendue
par des hymnes, non des aboiements, par de bonnes
œuvres, non des morsures venimeuses. En effet, là où
perdurent les divines mélodies, il est monstrueux et dés-
honorant qu'habitent des chiens et des faucons[2].

14. Sur les interventions de certaines gens, nous avons
appris qu'au mépris des canons et lois, les proches du
roi, et d'autres qui se prévalent de leur puissance sécu-

et nullis exertis actionibus aut coniunctionibus praerogatis miseros non solum de agris, sed etiam de domibus propriis exulare. Idcirco in medio consulentes decernimus, ut deinceps huius mali licentiam quispiam non habeat, sed secundum canonum atque legum tenorem causarum suarum actionem proponat, ut nullus miserorum rebus suis per uirtutem aut adsentationem quamlibet defraudetur. Illi autem, qui contra dispositum non solum nostrum, sed etiam antiquorum patrum et regnum uenire temtauerint, procellosi anathematis ultione plectantur.

15. Et quia ordinationi sacerdotum annuente Deo congruit de omnibus disponere et causis singulis honestum terminum dare, ut per hos reuerentissimos canones et praeteritorum canonum uiror ac florida germina maturis fructibus enitescant, statuimus, ut, si quis saecularium honoratorum in itinere obuiam habuerit aliquem ecclesiasticorum graduum usque ad inferiorem gradum honoris, ueneranter, sicut condecet christianum, illi colla subdat, per cuius officia et obsequia fidelissima christianitatis iura promeruit. Et si quidem ille secularis equo uehitur clericusque similiter, secularis galerum de capite auferat et clerico sincerae salutationis munus adhibeat ; si uero clericus pedes graditur et secularis uehitur equo, illico ad terram defluat et debitum honorem sepe dicto clerico sincerae caritatis exhibeat, ut Deus, qui uera caritas est, in utrisque laetetur et dilectioni suae utrumque asciscat. Qui uero horum, quae Spiritu sancto dictante sancita sunt, transgredi uoluerit, ab ecclesia, quam in suis ministris dehonorat, quantum episcopus illius ecclesiae uoluerit, suspendatur.

---

1. *Adsentatio :* exemple cité en *TLL* II, col. 854, 35.
2. *Galerus :* cité par BLAISE et par *TLL* VI, 2, col. 1678, 4.

lière, s'emparent des biens d'autrui et, sans intenter aucun procès ni fournir aucune justification, expulsent les pauvres, non seulement de leurs champs mais encore de leurs propres maisons. En conséquence, nous avons d'un commun accord décrété que désormais personne n'ait la liberté de commettre pareil méfait, mais que, conformément à la lettre des canons et des lois, on expose ses revendications en justice, afin que nul pauvre ne soit spolié de ses biens par la violence ou quelque flagornerie [1]. Que ceux qui tenteraient de contrevenir à cette disposition, qui n'est pas seulement la nôtre mais celle des anciens Pères et rois, soient frappés des foudres de l'anathème.

15. Et puisqu'il appartient au gouvernement des évêques de tout déterminer et de donner une solution équitable à chaque question, de telle façon que, par le moyen des très vénérables canons d'à présent, la verdure et les pousses fleuries des canons antérieurs s'embellissent de fruits mûrs, nous avons fixé que, si un laïque honorable rencontre sur sa route un clerc, y compris celui d'un ordre mineur, il s'incline respectueusement devant lui, comme il convient à un chrétien, puisque c'est par son ministère et son service qu'il a mérité d'acquérir les droits très assurés de la condition chrétienne. Et si ce laïque va à cheval et le clerc de même, que le laïque ôte son bonnet [2] de sa tête et gratifie le clerc d'un franc salut. Ou si le clerc va à pied et que le laïque aille a cheval, qu'aussitôt celui-ci mette pied à terre et rende audit clerc l'honneur de franche charité qu'il lui doit : ainsi Dieu, qui est la vraie Charité, se réjouira pour l'un et pour l'autre et les associera l'un et l'autre à sa dilection. Si quelqu'un voulait transgresser ces règles, établies sous la dictée de l'Esprit Saint, qu'il soit exclu de l'église qu'il déshonore en la personne de ses ministres, aussi longtemps que le voudra l'évêque de cette église.

16. Ilud quoque rectum nobis uisum est disponere, ut, quae uxor subdiaconi uel exorcistae uel acoliti fuerat, mortuo illo, secundo se non audeat sociare matrimonio. Quod si fecerit separetur et in coenobiis puellarum Dei tradatur et ibi usque ad exitum uitae suae permaneat.

17. Comperimus multos necdum marcidata mortuorum membra sepulchra reserare et mortuos suos superimponere uel aliorum, quod nefas est, mortuis suis religiosa loca usurpare, sine uoluntate scilicet domini sepulchrorum. Ideoque statuimus, ut nullus deinceps hoc peragat. Quod si factum fuerit, secundum legum auctoritatem superimposita corpora de eisdem tumulis reiactentur.

18. Incestam copulationem, in qua nec coniunx nec nuptiae recte appellari leges sanxerunt, catholica omnino detestatur atque abominatur ecclesia et grauioribus poenis eos afficere promittit, qui natiuitatis suae gradus libidinoso ardore contemnentes in merda, quod nefas est, sua ut sues teterrimi conuoluuntur.

19. Cognouimus etiam quosdam clericorum infreniticos ad forales reorum sententias frequenter accedere. Propterea prohibitionis eorum accessus hunc canonem protulimus definientes, ut ad locum examinationis reorum

---

1. Très rares sont les prescriptions des conciles mérovingiens concernant ces 2 ordres mineurs.
2. L'interdiction d'inhumer dans des sépultures d'autres familles était prévue par le droit romain (*Dig.* 1, 8, 6, 4 ou *Inst. J.* 2, 1, 9). GAIUS (*Dig.* 11, 7, 7, pr.) prévoyait comme sanction soit de déterrer le corps, soit de payer le prix.
3. Voir le c. 15 du concile d'Auxerre.
4. Cf. *Inst. J.* 1, 10, 12 ou *C. Th.* 3, 12, 3.

16. Encore un point qu'il nous a paru juste de fixer : que celle qui était l'épouse d'un sous-diacre, ou d'un exorciste, ou d'un acolyte [1], n'ait pas, après la mort de celui-ci, l'audace de se lier par un second mariage. Si elle le fait, qu'elle soit séparée et envoyée dans un monastère de filles, et qu'elle y demeure jusqu'à la fin de sa vie.

17. Nous avons appris que de nombreuses gens ouvrent les tombeaux alors que les corps des morts ne sont pas encore décomposés et qu'ils déposent par-dessus ces corps leurs propres morts, ou qu'ils usurpent pour leurs morts, ce qui est un sacrilège, les emplacements consacrés à d'autres, et cela sans l'autorisation du propriétaire des tombeaux [2]. En conséquence, nous prescrivons que personne désormais ne commette cet abus. Et s'il se commettait, que les corps déposés par-dessus d'autres soient, conformément à l'autorité des lois, rejetés de ces tombeaux [3].

18. Quant à l'union incestueuse, au sujet de laquelle les lois ont fixé que ne conviennent pas les appellations de conjoint et de noces [4], l'Église catholique la déteste et la maudit absolument, et elle promet de frapper des plus graves peines ceux qui, méprisant dans l'ardeur de la passion leurs degrés de parenté, se roulent — abomination ! — dans leur merde, tels d'ignobles pourceaux [5].

19. Nous avons appris de plus que certains clercs déments vont assister fréquemment aux jugements publics des coupables. Aussi avons-nous promulgué le présent canon leur interdisant d'y assister : nous décrétons qu'aucun clerc ne fréquente le lieu où a lieu l'interrogatoire

5. Voir le c. 4 du concile de Lyon de 583.

nullus clericorum accedat neque intersit atrio sauciolo, ubi pro reatus sui qualitate quisquiam interficiendus est. Si tamen et nunc aliquis eorum definita contempnens illuc accesserit aut interfuerit, defraudatus honesti honoris stola illis gregibus examinatorum societur, quos diuinis pretulit ministeriis.

20. Vniuersae fraternitatis deliberatione ac disputatione complacuit, ut antiquorum patrum iura in omnibus custodita ad synodum post trietericum tempus omnes conueniant, ut de alterna principaliter sospitate exhilarati causarum exsurgentium tam diuinae religionis quam humanae necessitatis discutiant et omnibus iustum aequumque finem imponant. Et hoc adimplere sollicitudinis sit metropolitani Lugdunensis episcopi una cum dispositione magnifici principis nostri prius definientis locum mediterraneum, ad quem omnes episcopi sine labore alacres congregentur. Et si aliquis eorum contumax fuerit aut excusationem falsae necessitatis, quare non intersit, inuenerit et postea publicatum fuerit, quod inepta erat eius excusatio, uolumus, ut usque ad concilium uniuersale a communione et a caritate fraterna maneat alienus.

Subscriptiones episcoporum :

Priscus episcopus ecclesiae Lugdunensis subscripsi.
Euantius episcopus ecclesiae Viennensis subscripsi.
Pretextatus episcopus ecclesiae Rotomagensis subscripsi.

1. Il doit s'agir de la mise à la question : voir le c. 33 du concile d'Auxerre.

2. *Atrium sauciolum :* cf. article de Du Cange.

3. Le c. 19 figure chez Benoît le Lévite II, 435.

4. *De alterna sospitate exhilarati :* voir le début du prologue, *alterna sospitate gaudere.*

5. Le roi Gontran.

des coupables [1], ni ne soit présent au lieu des exécutions [2] lorsque quelqu'un doit être mis à mort pour la gravité de son crime. Si pourtant, maintenant encore, l'un d'eux, au mépris de ces prescriptions se rendait là ou s'y trouvait, que, dépouillé de la robe d'honneur de sa dignité, il soit associé à ces troupes d'inquisiteurs qu'il a préférés au ministère divin [3].

20. Après délibération et discussion de tous les frères, il a été décidé que tous, observant en tout les règles des anciens Pères, se réuniront dans trois ans pour que, réjouis d'abord de la santé les uns des autres [4], ils discutent des affaires qui se présenteront, touchant la religion divine aussi bien que les nécessités humaines, et donnent à toutes une solution juste et équitable. Il appartiendra à la sollicitude de l'évêque métropolitain de Lyon de réaliser ce projet, en accord avec les intentions de notre magnifique prince [5], et d'abord en fixant un lieu central où tous les évêques puissent se rassembler allègrement et sans fatigue. Et si quelqu'un d'entre eux se montrait récalcitrant ou imaginait l'excuse d'une fausse nécessité comme motif de son absence, et qu'ensuite il s'avère que son excuse était sans fondement, nous voulons qu'il demeure, jusqu'au concile universel, étranger à la communion et à la charité des frères [6].

Souscriptions des évêques [7] :

Priscus, évêque de l'église de Lyon, j'ai souscrit.
Evantius, évêque de l'église de Vienne, j'ai souscrit.
Prétextat, évêque de l'église de Rouen, j'ai souscrit.

6. Voir le c. 1 du concile de Tours.
7. Dans les mss et dans l'édition MAASSEN - DE CLERCQ, un groupe d'évêques (de *Pologronius* à *Agrecius*) se trouve déplacé et figure au milieu des délégués (entre celui de *Magnulfus* et celui de *Catholinus*). Nous avons rétabli ici l'ordre normal.

Bertechramnus episcopus ecclesiae Burdegalensis subscripsi.

Artemius episcopus ecclesiae Senonicae subscripsi.

Sulpitius episcopus ecclesiae Betoriuae subscripsi.

Siagrius episcopus ecclesiae Eduorum subscripsi.

Orestis episcopus ecclesiae Vasticae subscripsi.

Faustus episcopus ecclesiae Ausciorum subscripsi.

Aunacharius episcopus ecclesiae Autisiderensis subscripsi.

Estitius episcopus ecclesiae Gracinopolitanae subscripsi.

Siluester episcopus ecclesiae Visoncensis subscripsi.

Teudorus episcopus ecclesiae Massiliensis subscripsi.

Feriolus episcopus ecclesiae Lemodicinae subscripsi.

Palladius episcopus ecclesiae Santonicae subscripsi.

Ragnoaldus episcopus ecclesiae Valentinae subscripsi.

Pappolus episcopus ecclesiae Carnotinae subscripsi.

Eraclius episcopus ecclesiae Diniensis subscripsi.

Eusebius episcopus ecclesiae Matescensis subscripsi.

Namaticius episcopus ecclesiae Aurilianensis subscripsi.

Agrecola episcopus ecclesiae Niuernensis subscripsi.

Ragnebodus episcopus ecclesiae Parisseorum subscripsi.

Mummolus episcopus ecclesiae Lingonicae subscripsi.

Marius episcopus ecclesiae Auenticae subscripsi.

Trapecius episcopus ecclesiae Aurasicae subscripsi.

Flauius episcopus ecclesiae Cabillonensis subscripsi.

Veranus episcopus ecclesiae Cabellicorum subscripsi.

Antidius episcopus ecclesiae Agennensium subscripsi.

Carterius episcopus ecclesiae Petrocoricae subscripsi.

Rusticus episcopus ecclesiae Vicoiuliensis subscripsi.

Sauinus episcopus ecclesiae Bernarnensium subscripsi.

Rufinus episcopus ecclesiae Combenicae subscripsi.

Nicasius episcopus ecclesiae Aquilimensium subscripsi.

Baudigisilus episcopus ecclesiae Celomantorum subscripsi.

Bertechramnus, évêque de l'église de Bordeaux, j'ai souscrit.

Artemius, évêque de l'église de Sens, j'ai souscrit.

Sulpice, évêque de l'église de Bourges, j'ai souscrit.

Syagrius, évêque de l'église d'Autun, j'ai souscrit.

Orestis, évêque de l'église de Bazas, j'ai souscrit.

Faustus, évêque de l'église d'Auch, j'ai souscrit.

Aunacharius, évêque de l'église d'Auxerre, j'ai souscrit.

Estitius, évêque de l'église de Grenoble, j'ai souscrit.

Silvestre, évêque de l'église de Besançon, j'ai souscrit.

Teudorus, évêque de l'église de Marseille, j'ai souscrit.

Feriolus, évêque de l'église de Limoges, j'ai souscrit.

Palladius, évêque de l'église de Saintes, j'ai souscrit.

Ragnoaldus, évêque de l'église de Valence, j'ai souscrit.

Pappolus, évêque de l'église de Chartres, j'ai souscrit.

Heraclius, évêque de l'église de Digne, j'ai souscrit.

Eusèbe, évêque de l'église de Mâcon, j'ai souscrit.

Namaticius, évêque de l'église d'Orléans, j'ai souscrit.

Agricola, évêque de l'église de Nevers, j'ai souscrit.

Ragnebodus, évêque de l'église de Paris, j'ai souscrit.

Mummolus, évêque de l'église de Langres, j'ai souscrit.

Marius, évêque de l'église d'Avenches, j'ai souscrit.

Trapecius, évêque de l'église d'Orange, j'ai souscrit.

Flavius, évêque de l'église de Chalon, j'ai souscrit.

Veranus, évêque de l'église de Cavaillon, j'ai souscrit.

Antidius, évêque de l'église d'Agen, j'ai souscrit.

Carterius, évêque de l'église de Périgueux, j'ai souscrit.

Rusticus, évêque de l'église d'Aire, j'ai souscrit.

Savinus, évêque de l'église du Béarn, j'ai souscrit.

Rufinus, évêque de l'église de Comminges, j'ai souscrit.

Nicasius, évêque de l'église d'Angoulême, j'ai souscrit.

Baudigisilus, évêque de l'église du Mans, j'ai souscrit.

Chariato episcopus ecclesiae Genauensis subscripsi.
Lucerius episcopus ecclesiae Elaborensium subscripsi.
Amelius episcopus ecclesiae Bioretanae subscripsi.
Vrsitinus episcopus ecclesiae Cadorcinae subscripsi.
Vrbicus episcopus ecclesiae Regensis subscripsi.
Aridius episcopus ecclesiae Vappicensis subscripsi.
Emeritus episcopus ecclesiae Ebridunensis subscripsi.
Hiconius episcopus ecclesiae Mauriennatis subscripsi.
Agrecius episcopus ecclesiae Glannatinae subscripsi.
Pologronius episcopus ecclesiae Segestericae subscripsi.
Martianus episcopus ecclesiae Tarantasiae subscripsi.
Artemius episcopus ecclesiae Vasensis subscripsi.
Boetius episcopus ecclesiae Carpentorasensis subscripsi.
Pappus episcopus ecclesiae Aptensium subscripsi.
Eusebius episcopus ecclesiae Tricassinorum subscripsi.
Felix episcopus ecclesiae Belesensis subscripsi.
Agrecius episcopus ecclesiae Tricassinae subscripsi.

Item missi episcoporum qui in ea synodo subscripserunt :

Saupaudi episcopi ab Arelato.
Optati episcopi ab Antepoli.
Deuteri episcopi a Ventio.
Desiderii episcopi a Telone.
Pienti episcopi ab Aquis.
Pauli episcopi a Dea.
Laban episcopi ab Elosa.
Magnulfi episcopi a Tolosa.
Catholini episcopi a Niccia.
Eliodori episcopi a Sedunis.
Iohannis episcopi ab Auione.
Vigili episcopi a Senectio.

Chariato, évêque de l'église de Genève, j'ai souscrit.

Lucerius, évêque de l'église d'Oloron, j'ai souscrit.

Amelius, évêque de l'église de Bigorre, j'ai souscrit.

Ursitinus, évêque de l'église de Cahors, j'ai souscrit.

Urbicus, évêque de l'église de Riez, j'ai souscrit.

Aridius, évêque de l'église de Gap, j'ai souscrit.

Emeritus, évêque de l'église d'Embrun, j'ai souscrit.

Hiconius, évêque de l'église de Maurienne, j'ai souscrit.

Agrecius, évêque de l'église de Glandève, j'ai souscrit.

Pologronius, évêque de l'église de Sisteron, j'ai souscrit.

Martianus, évêque de l'église de Tarentaise, j'ai souscrit.

Artemius, évêque de l'église de Vaison, j'ai souscrit.

Boetius, évêque de l'église de Carpentras, j'ai souscrit.

Pappus, évêque de l'église d'Apt, j'ai souscrit.

Eusèbe, évêque de l'église de Saint-Paul-Trois-Châteaux, j'ai souscrit.

Felix, évêque de l'église de Belley, j'ai souscrit.

Agrecius, évêque de l'église de Troyes, j'ai souscrit.

Plus les délégués des évêques, qui ont souscrit à ce synode :

De Sapaudus, évêque d'Arles.

D'Optat, évêque d'Antibes.

De Deuterius, évêque de Vence.

De Desiderius, évêque de Toulon.

De Pientus, évêque d'Aix.

De Paul, évêque de Die.

De Laban, évêque d'Eauze.

De Magnulfus, évêque de Toulouse.

De Catholinus, évêque de Nice.

D'Éliodore, évêque de Sion.

De Jean, évêque d'Avignon.

De Vigile, évêque de Senez.

Item episcopi qui in ea sinodo fuerunt non habentes sedes :

Frunimius episcopus.
Promotus episcopus.
Fautianus episcopus.

Explicit sinodus Matescensis.

---

1. DE CLERCQ (*Législation,* p. 52) donne sur ces 3 évêques les renseignements suivants : Frunimius, évêque d'Agde, chassé par les Goths, deviendra évêque de Vence en 588 ; Promotus est l'ex-titulaire de Châteaudun ; Fautianus, évêque de Dax, aurait, d'après GRÉGOIRE

Plus les évêques qui furent présents au synode sans avoir de siège[1] :

Frunimius, évêque.
Promotus, évêque.
Fautianus, évêque.

Fin du synode de Mâcon.

DE TOURS (*Hist. Franc.* VII, 31 et VIII, 20), été écarté de son siège par le concile à cause de l'irrégularité de son ordination faite par le métropolitain d'une autre province (Bordeaux).

SYNODE D'AUXERRE [1]
(561-605)

Ce synode, dont la date exacte est inconnue [2], fut réunie par l'évêque d'Auxerre, Aunacharius (561-605). C'est le seul synode diocésain d'époque mérovingienne dont les canons nous soient parvenus dans leur intégralité. Y prirent part, sous la présidence d'Aunacharius, sept abbés, trente-quatre prêtres, trois diacres.

Le synode promulgua quarante-cinq canons. La brièveté et la simplicité de leur rédaction, la relative correction de leur langue contrastent avec l'ensemble de la législation conciliaire mérovingienne de cette époque et témoignent de la culture de leurs rédacteurs.

L'ensemble constitue une instruction assez complète sur les devoirs du clergé et du peuple. Aussi s'explique-t-on la faveur avec laquelle certains de ces canons ont été recueillis par des collections canoniques des VIIIᵉ-IXᵉ siècles et dans les Décrets de Burchard, d'Yves et de Gratien [3]. Ces textes fournissent à l'historien un tableau de la vie chrétienne et de l'organisation ecclésiastique dans la Gaule de la fin du VIIᵉ siècle. Les questions

---

1. Cf. HEFELE-LECLERCQ, III[1], p. 214-215, DE CLERCQ, *Législation,* p. 75-78.

2. Certaines dispositions du synode d'Auxerre (c. 15, 16, 18, 19, 22, 27-32, 33-34, 43) rappellent des mesures arrêtées au IIᵉ concile de Mâcon (585) auquel assista Aunacharius, ce qui inciterait à voir dans le synode d'Auxerre une assemblée tenue peu après celle de Mâcon pour en adopter la discipline.

3. Voir ci-dessous.

théologiques et la lutte contre les hérésies n'ont guère de place dans un règlement qui s'adresse essentiellement à un clergé rural. En dehors des rappels traditionnels de la morale sexuelle, interdiction des unions incestueuses (c. 27-32), célibat des clercs (c. 20), interdiction des relations charnelles entre les clercs mariés et leurs épouses à partir du sous-diaconnat (c. 21), on y trouve des condamnations de pratiques païennes (c. 1, 3, 4), des dispositions concernant le calendrier liturgique (c. 2) et le culte (c. 3, 6, 8, 9, 10, 13, 19), le baptême (c. 18), les sépultures (c. 12, 14, 15), l'eucharistie (c. 36-42), la tenue régulière de deux synodes par an (c. 7), le statut des clercs (c. 33-35, 40-41, 43), la vie monastique (c. 23-26), la soumission des laïques à l'autorité ecclésiastique (c. 44), les conséquences de l'excommunication (c. 38-39) et la réprobation du suicide (c. 17).

La hiérarchie ecclésiastique y apparaît à travers les mentions des archidiacres, des archiprêtres, des archisous-diacres (c. 6).

TRANSMISSION : Les canons du synode d'Auxerre sont conservés par la collection de Saint-Amand.

DESTINÉE ULTÉRIEURE : Ignorés de la *Vetus Gallica*, de la collection de Bonneval, des collections espagnoles du VIIe siècle, les canons du synode d'Auxerre sont reproduits dans la collection de Bourgogne et dans celle de Beauvais, dont la série mérovingienne a été reprise à une source voisine de la collection de Saint-Amand. Benoît le Lévite les a utilisés. 4 canons d'Auxerre (c. 10, 12, 17, 26) figurent dans le Décret de Burchard de Worms. On les retrouve — avec en plus le c. 25 — dans celui d'Yves de Chartres, tandis que les c. 10 et 25 figurent dans celui de Gratien.

SYNODVS DIOECESANA AVTISSIODORENSIS
561-605.

INCIPIT SINODVS AVTISIODERENSIS

1. Non licet kalendis Ianuarii uetolo aut ceruolo facere uel streneas diabolicas obseruare, sed in ipsa die sic omnia beneficia tribuantur, sicut et reliquis diebus.

2. Vt omnes presbyteri ante epifania missos suos dirigant, qui eis de principio quadragensimae nuncient ; et ipsa epyfania ad populum indicatur.

3. Non licet conpensus in domibus propriis nec peruigilius in festiuitates sanctorum facere nec inter sentius aut ad arbores sacriuos uel ad fontes uota dissoluere, nisi, quicumque uotum habuerit, in ecclesia uigilet et matriculae ipsum uotum aut pauperibus reddat nec sculptilia aut pedem aut hominem ligneum fieri penitus praesumat.

4. Non licet ad sortilegos uel auguria respicere nec ad caragios nec ad sortes, quas sanctorum uocant, uel quas de ligno aut de pane faciunt, aspicere, nisi, quaecumque homo facere uult, in nomime Domini faciat.

---

1. *Vetolo aut ceruolo* : les mss hésitent sur ces formes ; de même dans d'autres textes. Des confusions se sont créés entre *uitula* (= génisse) et *uetula* = (petite vieille).

2. Voir le c. 23 du concile de Tours.

3. Voir le c. 1 du concile d'Orléans IV.

4. La matricule apparaît pour la 1re fois dans le c. 13 du concile d'Orléans de 541. Le sens du terme est discuté : cf. DE CLERCQ, *Législation*, p. 29, n. 1. Il s'agit, semble-t-il d'une dotation spéciale pour subvenir aux besoins du petit personnel des églises et de ceux qui étaient secourus ; la liste des bénéficiaires était fixée par le clergé.

SYNODE DIOCÉSAIN D'AUXERRE
561-605

ICI COMMENCE LE SYNODE D'AUXERRE

1. Il n'est pas permis, aux calendes de janvier, de mimer la vache ou le cerf[1], ou de faire usage d'étrennes diaboliques ; mais que ce jour-là on fasse preuve de la même générosité que les autres jours[2].

2. Que tous les prêtres, avant l'Épiphanie, envoient des commissionnaires qui les renseigneront sur le début du Carême ; et que le jour de l'Épiphanie le peuple en soit avisé[3].

3. Il n'est pas permis de célébrer dans les maisons particulières des offrandes privées (*compensus*), ni des veillées pour les fêtes des saints ; ni de s'acquitter de vœux parmi les fourrés, ni au pied des arbres sacrés, ni près des sources ; mais si quelqu'un a fait un vœu, qu'il aille veiller à l'église et s'acquitte de ce vœu au profit de la matricule[4] des pauvres ; et qu'il ne se permette aucunement de fabriquer des objets sculptés : soit un pied, soit un bonhomme de bois.

4. Il n'est pas permis de faire appel aux sortilèges ou aux augures, ni d'avoir recours aux magiciens ; ni non plus aux sorts qu'on appelle « des saints », ni à ceux tirés de morceaux de bois ou de morceaux de pain[5] ; mais tout ce que l'on veut faire, qu'on le fasse au nom du Seigneur.

5. Voir le c. 30 du concile d'Orléans I.

5. Omnino inter supra dictis conditionibus peruigilius, quos in honore domini Martini obseruant, omnimodis prohibete.

6. Vt ad media quadragensima presbyteri crisma petant et, si quis infirmitate detentus uenire non potuerit, ad archidiaconum suum archisubdiaconum transmittat, sed cum crismario et linteo, sicut reliquiae sanctorum deportari solent.

7. Vt medio Madio omnes presbyteri ad synodum in ciuitatem ueniant et kalendis Nouembris omnes abbates ad concilium conueniant.

8. Non licet in altario in sacrificio diuino mellita, quod mulsa appelant, nec ullum alium poculum absque uinum cum aqua mixtum offerre, quia ad grande reatum et peccatum pertinet presbytero illi, quicumque alium poculum absque uinum in consecrationem sanguinis Christi offerre praesumpserit

9. Non licet in ecclesia choros saecularium uel puellarum cantica exercere nec conuiuia in ecclesia praeparare, quia scriptum est : « Domus mea domus orationis uocabitur[a]. »

10. Non licet super uno altario in una die duas missas dicere ; nec in altario, ubi episcopus missas dixerat, presbyter in illa die missas non dicat.

---

a. Is, 56, 7 ; etc.

---

1. *Archisubdiaconus* : seul exemple de ce titre dans les conciles mérovingiens ; il s'agit du « plus digne des clercs » (DE CLERCQ, *Législation*, p. 76).

2. Voir le c. 4 du concile d'Orléans IV.

3. Lire : *dixerit*.

5. Parmi les cas ci-dessus, prohibez absolument, de toute manière, les veillées qu'on célèbre en l'honneur de saint Martin.

6. Qu'à la mi-carême les prêtres aillent chercher le chrême, et si l'un d'eux, retenu par la maladie, ne peut venir, qu'il délègue à l'archidiacre son archi-sous-diacre [1], et cela avec le chrêmeau (*crismarium*) et un linge, comme on fait pour transporter les reliques des saints.

7. Qu'à la mi-mai tous les prêtres viennent à la cité pour le synode, et qu'aux calendes de novembre tous les abbés se réunissent pour le concile.

8. Il n'est pas permis d'offrir à l'autel pour le sacrifice divin la boisson miellée qu'on appelle « moût » (*mulsa*), ni aucune autre boisson, mais seulement le vin mêlé d'eau, car il y a grande faute et péché pour un prêtre à se permettre d'offrir, pour la consécration du sang du Christ, une boisson autre que le vin [2].

9. Il n'est pas permis que des chœurs de laïques ou de jeunes filles exécutent des chants dans l'église, ni qu'on y offre des repas, car il est écrit : « Ma maison sera appelée maison de prière[a]. »

10. Il n'est pas permis de dire deux messes sur le même autel le même jour. Et que, sur un autel où un évêque a dit [3] la messe, un prêtre ne dise pas la messe ce jour-là [4].

4. La pratique cependant ne respecte pas cette interdiction : cf. C. VOGEL, « La multiplication des messes solitaires », *Rev. sc. rel.* 55 (1981), p. 207. — Le c. 10 figure dans : Burchard de Worms III, 226 ; Yves de Chartres, Décret III, 270, Panormie II, 35 ; Décret de Gratien, Dist. 2 *de consecratione*, c. 97.

11. Non licet uigilia paschae ante hora secunda noctis uigilias perexpedire, quia ipsa nocte non licet post media nocte bibere nec natale Domini nec reliquas sollemnitates.

12. Non licet mortuis nec eucharistiam nec osculum tradi nec de uela uel pallas corpora eorum inuolui.

13. Non licet diacono de uela uel pallas scapulas suas inuolui.

14. Non licet in baptisterio corpora sepelire.

15. Non licet mortuum super mortuum mitti.

16. Non licet die dominico boues iungere uel alia opera exercere.

17. Quicumque se propria uoluntate aut in aqua iactauerit aut collum ligauerit aut de arbore praecipitauerit aut ferro percusserit aut qualibet occasione uoluntate se morti tradiderit, istorum oblata non recipiatur.

18. Non licet absque paschae sollemnitate ullo tempore baptizare, nisi illos, quibus mors uicina est, quos grabattarios dicunt. Quod si quis in alio pago contumacia faciente post interdictum hunc infantes suos ad baptis-

---

1. Le sens de cette prohibition reste obscur ; voir les diverses interprétations rapportées par HEFELE-LECLERCQ, III[1], p. 217-218. La « seconde heure de la nuit » correspond à sept heures du soir. La vigile se prolonge donc après cette heure et le jeûne ne cesse pas à minuit.

2. *Pallae* : le terme ne se trouve que dans les canons d'Auxerre. — Le c. 12 figure dans les Décrets de Burchard de Worms (III, 236) et d'Yves de Chartres (III, 277).

3. Voir le c. 17 du concile de Mâcon II.

4. Voir le c. 1 du même concile.

11. Il n'est pas permis, la veille de Pâques, d'achever les vigiles avant la seconde heure de la nuit, car cette nuit-là il n'est pas permis de boire après minuit[1]. Il en est de même à la Nativité du Seigneur et aux autres solennités.

12. Il n'est pas permis de donner aux morts l'eucharistie ni le baiser ; pas non plus d'envelopper les corps avec la tenture (*uelum*) ou les nappes d'autel (*pallae*)[2].

13. Il n'est pas permis au diacre de se couvrir les épaules avec les nappes d'autel.

14. Il n'est pas permis d'ensevelir les corps dans le baptistère.

15. Il n'est pas permis de déposer un mort au-dessus d'un mort[3].

16. Il n'est pas permis, le dimanche, d'atteler les bœufs ni d'exécuter d'autres travaux[4].

17. Si quelqu'un, de sa propre volonté, ou s'est jeté à l'eau, ou s'est passé la corde au cou, ou s'est précipité du haut d'un arbre, ou s'est donné un coup de poignard, ou s'est, de quelque manière que ce soit, donné volontairement la mort, que l'on ne reçoive pas les offrandes faites pour ces gens-là[5].

18. Il n'est pas permis de baptiser à une autre date qu'à la solennité pascale, à l'exception de ceux qui sont proches de la mort, ceux qu'on appelle « grabataires ». Si quelqu'un, se rebellant contre la présente interdiction,

5. Le c. 17 figure dans les Décrets de Burchard de Worms (XIX, 131) et d'Yves de Chartres (X, 10 et XV, 141).

mum detulerit, in ecclesias nostras non recipiantur ; et quicumque presbyter ipsos extra nostro permisso recipere praesumpserit, tribus mensibus a communione ecclesiae sequestratus sit.

19. Non licet presbytero aut diacono aut subdiacono post accepto cibo uel poculo missas tractare aut in ecclesia, dum missae dicuntur, stare.

20. Quod si presbyter, quod nefas est dicere, aut diaconus aut subdiaconus post accepta benedictione infantes procreauerint aut adulterium conmisserint et archipresbyter hoc episcopo aut archidiacono non innotuerit, integro anno non communicet.

21. Non licet presbytero post accepta benedictione in uno lecto cum presbytera dormire nec in peccato carnali misceri, nec diacono nec subdiacono.

22. Non licet relictam presbyteri nec relictam diaconi nec subdiaconi post eius mortem maritum accipere.

23. Si monachus in monasterio adulterium commisserit aut peculiarem habere praesumpserit aut furtum fecerit et hoc abbas per se non emendauerit aut episcopo uel archidiacono non innotuerit, ad poenitentiam agendam in alio monasterio retrudatur.

1. En fait, dans un diocèse autre que celui d'Auxerre : le *pagus Autessiodorensis* coïncide avec le diocèse (cf. Moreau, *Dictionnaire de géographie historique* p. 33).

2. Pluriel qui englobe vraisemblablement celui qui a transgressé la défense synodale et les enfants qu'il a fait baptiser.

3. Voir le c. 9 du concile de Mâcon II.

4. Voir le c. 6 du même concile.

5. Voir le c. 20 du concile de Tours.

6. voir le c. 17 du concile d'Orléans IV et le c. 11 du concile de Mâcon I.

porte ses enfants dans un autre comté (*pagus*)[1] pour les
y faire baptiser, que ces gens-là[2] ne soient pas admis
dans nos églises ; et que tout prêtre qui, sans notre
permission, osera les admettre, soit durant trois mois
exclu de la communion de l'Église[3].

19. Il n'est pas permis à un prêtre, ou un diacre, ou
un sous-diacre, après qu'il a pris nourriture ou boisson,
de participer à la messe, ni de se trouver dans l'église
tandis qu'on y dit la messe[4].

20. Si un prêtre — il est scandaleux de le dire —, ou
un diacre, ou un sous-diacre, après avoir reçu la bénédiction, engendre des enfants ou commet un adultère, et
que l'archiprêtre ne le fait pas savoir à l'évêque ou à
l'archidiacre, que l'archiprêtre soit privé de la communion
toute une année[5].

21. Il n'est pas permis à un prêtre, une fois reçue la
bénédiction, de dormir dans le même lit que sa femme
(*presbytera*), ni de s'unir à elle par le péché de la chair ;
ce n'est pas permis non plus à un diacre ou à un sous-
diacre[6].

22. Il n'est pas permis à la veuve d'un prêtre, ni à la
veuve d'un diacre ou d'un sous-diacre, de se remarier
après la mort de son mari[7].

23. Si un moine, dans un monastère, commet un adultère, ou se permet de posséder un pécule, ou est coupable
d'un vol, et que l'abbé ne sanctionne pas lui-même le
fait, ou qu'il ne le signale pas à l'évêque ou à l'archidiacre, que cet abbé soit relégué dans un autre monastère
pour y faire pénitence.

7. Voir le c. 14 du concile de Mâcon II.

24. Non licet abbati nec monacho ad nuptias ambulare.

25. Non licet abbati filios de baptismo habere nec monachos commmatres habere.

26. Quod si quis abbas mulierem in monasterio suo ingredi permiserit aut festiuitates aliquas ibi spectare praeceperit, tribus mensibus in alio monasterio retrudatur pane et aqua contentus.

27. Non licet, ut aliquis suam nouercam accipiat uxorem.

28. Non licet, ut filiam uxoris suae quis accipiat.

29. Non licet, ut relictam fratis sui quis in matrimonio ducat.

30. Non licet, duas sorores, si una mortua fuerit, alteram in coniugio accipere.

31. Non licet consobrinam, hoc est, quod de duos fratres aut de duas sorores procreantur, in coniugium accipere nec, qui de ipsis nati fuerint, in coniugio socientur.

---

1. Cette interdiction figure dans certaines règles monastiques, telle la *Regula Tarnatensis* (ch. 13) : cf. DE CLERCQ, *Législation*, p. 79, n. 1.

2. Interdiction déjà formulée par CÉSAIRE (*Reg. monachorum*, c. 10) ; on la retrouve au c. 20 de la règle d'AURÉLIEN D'ARLES (546-551) et au c. 15 de celle de FERRÉOL D'UZÈS (+ 581).

3. *TLL* III, col. 1822, 19, à l'article « *commater* » cite le présent canon, ainsi que l'*Ep.* 4, 40 de GRÉGOIRE LE GRAND. — Le c. 25 figure dans les Décrets d'Yves de Chartres (I, 132) et de Gratien (Dist. 4 *de consecratione*, c. 103).

24. Il n'est pas permis à un abbé ni à un moine de se rendre à des noces[1].

25. Il n'est pas permis[2] à un abbé d'avoir des filleuls (*filii de baptismo*), ni à des moines d'avoir des « commères »[3].

26. Si un abbé permet à une femme d'entrer dans son monastère, ou l'invite à y assister à des fêtes, qu'il soit relégué trois mois dans un autre monastère, s'y contentant de pain et d'eau[4].

27. Il n'est pas permis que quelqu'un prenne sa belle-mère pour épouse.

28. Il n'est pas permis que quelqu'un prenne la fille de sa femme.

29. Il n'est pas permis que quelqu'un prenne en mariage la veuve de son frère.

30. Il n'est pas permis, s'il s'agit de deux sœurs, et que la première soit morte, de prendre en mariage la seconde.

31. Il n'est pas permis de prendre en mariage sa cousine — c'est-à-dire lorsque l'un et l'autre sont nés de deux frères ou de deux sœurs — ; que ceux qui sont nés de ces cousins ne s'unissent pas non plus en mariage.

---

4. L'interdiction faite aux femmes d'entrer dans les monastères d'hommes se retrouve dans la plupart des règles monastiques de cette époque : cf. DE CLERCQ, *Législation,* p. 81 et 85. — Le c. 26 figure dans les Décrets de Burchard de Worms (VIII, 101) et d'Yves de Chartres (VII, 119).

32. Non licet, ut nepos auunculi uxorem accipiat.

33. Non licet presbytero nec diacono ad trepalium, ubi rei torquentur, stare.

34. Non licet presbytero in iudicio illo sedere, unde homo ad mortem tradatur.

35. Non licet presbyterum aut diaconum uel quemquam clericorum de qualibet causa conclericum suum ad iudicem saecularem trahere.

36. Non licet mulieri nuda manu eucharistiam accipere.

37. Non licet, ut mulier manum suam ad pallam dominicam mittat.

38. Non licet cum excommunicato communicare nec cum eo cybum sumere.

39. Si quis presbyter aut quilibet de clero aut de populo excommunicatum absque uoluntate ipsius, qui eum excommunicauit, sciens receperit aut cum illo panem manducauerit uel conloquium habere decreuerit, simile sententia subiacebit.

40. Non licet presbytero inter epulas cantare nec saltare.

---

1. Le c. 18 du concile de Mâcon II condamnait les unions « incestueuses », sans entrer dans les détails que l'on trouve ici, dans les c. 27 à 32.
2. *Trepalium* : seul emploi dans les conciles mérovingiens.
3. Interdiction précisée par le c. 19 du concile de Mâcon II.

32. Il n'est pas permis à un neveu de prendre la femme de son oncle[1].

33. Il n'est pas permis à un prêtre ou à un diacre de se trouver au lieu (*trepalium*)[2] où sont torturés les coupables[3].

34. Il n'est pas permis à un prêtre d'assister à un procès où un homme sera livré à la mort[3].

35. Il n'est pas permis à un prêtre, ou à un diacre, ou à l'un des clercs, de citer, pour aucune cause, un clerc son collègue devant le juge séculier.

36. Il n'est pas permis à une femme de recevoir l'eucharistie la main nue.

37. Il n'est pas permis qu'une femme touche de sa main la nappe du Seigneur.

38. Il n'est pas permis de communiquer avec un excommunié, ni de prendre sa nourriture avec lui.

39. Si un prêtre, ou quelqu'un du clergé ou du peuple, reçoit un excommunié sans l'accord de celui qui l'a excommunié[4], ou s'il mange le pain ou engage la conversation avec lui, il encourra la même sentence que lui.

40. Il n'est pas permis à un prêtre de chanter ou de danser dans un banquet.

---

4. Cette dérogation n'était pas prévue dans les dispositions antérieures sur l'interdiction d'avoir des rapports avec des excommuniés.

41. Non licet presbytero nec diacono quemquam inscribere, sed in uice sua, si causam habuerit, aut fratrem aut quemcumque saecularem roget.

42. Vt unaquis mulier, quando communicat, dominicalem suum habeat. Quod si qua non habuerit, usque in alio die dominico non communicet.

43. Quicumque iudex aut saecularis presbyterum aut diaconum aut quemlibet de clero aut de iunioribus absque audientia episcopi, archidiaconi uel archipresbyteri iniuriam inferre praesumpserit, anno ab omnium christianorum consortio habeatur extraneus.

44. Si quis ex saecularibus institutionen aut ammonitionem archipresbyteri sui contumacia faciente audire distulerit, tamdiu a liminibus sanctae ecclesiae habeatur extraneus, quamdiu tam salubrem institutionem adimplere deberit ; insuper et multam, quam gloriosissimus domnus rex praecepto suo instituit, sustineat.

45. Si quis hanc definitionem, quam ex auctoritate canonica cum communi consensu et coniuentia conscripsimus atque instituimus tam ad clerum quam ad populum commonendum uel ad id, quod scriptum est, conseruandum, neglegens inuentus fuerit et hoc obseruare distulerit aut eos, qui ipsum audire neglexerint, celauerit aut subpresserit et in notitia episcopo non deposuerit, anno a consortio fratrum uel ab omnium christianorum communione habeatur extraneus.

---

1. *Dominicalis* : voile qui couvre la tête, distinct du linge qui couvre la main (cf. *supra,* c. 36). Exemple cité par Du Cange et Niermeyer.

2. Voir le c. 20 du concile d'Orléans IV et le c. 10 du concile de Mâcon II. — Ce canon 43 d'Auxerre est utilisé par Benoît le Lévite (I, 192), qui substitue l'anathème à l'excommunication pendant un an.

41. Il n'est pas permis à un prêtre ou à un diacre de citer quelqu'un en justice ; mais, s'il a un différend, qu'il invite son frère ou un laïque à le faire à sa place.

42. Que toute femme, lorsqu'elle communie, ait son voile (*dominicalis*)[1]. Si l'une ne l'a pas, qu'elle attende, pour communier, le dimanche suivant.

43. Que tout juge ou laïque qui se permet de faire tort à un prêtre, ou à un diacre, ou à l'un des clercs ou des jeunes, sans qu'il y ait jugement de l'évêque, de l'archidiacre ou de l'archiprêtre, soit tenu un an à l'écart de la communauté de tous les chrétiens[2].

44. Si l'un des laïques, par obstination, s'abstient d'écouter les instructions ou les admonitions de son archiprêtre, qu'il soit tenu à l'écart du seuil de la sainte église, jusqu'à ce qu'il veuille satisfaire à une instruction aussi salutaire. Que de plus il soit soumis à l'amende que notre très glorieux seigneur le roi a fixée par son précepte[3].

45. Si quelqu'un vient à négliger ces dispositions, que nous avons, d'un commun consentement et accord, fixées par écrit, en vertu de l'autorité canonique, pour avertir à la fois le clergé et le peuple et pour conserver cet écrit, et s'il s'abstient de les mettre en pratique — ou s'il tait ou cache et ne porte pas à la connaissance de l'évêque ceux qui s'abstiennent d'y obéir —, qu'il soit tenu un an à l'écart de la communauté des frères et de celle de tous les chrétiens.

---

3. On ignore à quelle disposition il est fait référence.

Vnacharius in Dei nomine episcopus constitutionem hanc subscripsit.

Vinobaudus abba subscripsit.

Vigilius presbyter subscripsit.

Gregorius presbyter subscripsit.

Aprouius diaconus.

Claudius presbyter subscripsit.

Baudouius abba subscripsit.

Francolus abba subscripsit.

Anianus presbyter subscripsit.

Cesarius abba subscripsit.

Saupaudus presbyter subscripsit.

Audouius presbyter subscripsit.

Teudulfus presbyter subscripsit.

Roricius presbyter subscripsit.

Niobaudis presbyter subscripsit.

Antonius presbyter subscripsit.

Seuardus presbyter subscripsit.

Addo presbyter subscripsit.

Audouius presbyter subscripsit.

Sindulfus presbyter subscripsit.

Vinobaudis presbyter subscripsit.

Medardus presbyter subscripsit.

Badericus presbyter subscripsit.

Syagrius presbyter subscripsit.

Friobaudis presbyter subscripsit.

Eominus presbyter subscripsit.

Illadius presbyter subscripsit.

Theodomodus presbyter subscripsit.

Launouius presbyter subscripsit.

Leonastis presbyter subscripsit.

Desideratus presbyter subscripsit.

Barbario diaconus in uicem subscripsit.

Amandus abba subscripsit.

Unacharius, au nom de Dieu, évêque [d'Auxerre], a souscrit à la présente constitution.

Vinobaudus, abbé [de Saint-Germain d'Auxerre], a souscrit.

Vigile, prêtre, a souscrit.

Grégoire, prêtre, a souscrit.

Aprovius, diacre.

Claude, prêtre, a souscrit.

Baudovius, abbé, a souscrit.

Francolus, abbé, a souscrit.

Anianus, prêtre, a souscrit.

Césaire, abbé, a souscrit.

Saupaudus, prêtre, a souscrit.

Audovius, prêtre, a souscrit.

Teudulfus, prêtre, a souscrit.

Roricius, prêtre, a souscrit.

Niobaudis, prêtre, a souscrit.

Antoine, prêtre, a souscrit.

Sevardus, prêtre, a souscrit.

Addo, prêtre, a souscrit.

Audovius, prêtre, a souscrit.

Sindulfus, prêtre, a souscrit.

Vinobaudis, prêtre, a souscrit.

Médard, prêtre, a souscrit.

Badericus, prêtre, a souscrit.

Syagrius, prêtre, a souscrit.

Friobaudis, prêtre, a souscrit.

Eominus, prêtre, a souscrit.

Illadius, prêtre, a souscrit.

Theodomodus, prêtre, a souscrit.

Launovius, prêtre, a souscrit.

Leonastis, prêtre, a souscrit.

Desideratus, abbé, a souscrit.

Barbario, diacre, a souscrit comme délégué.

Amand, abbé, a souscrit.

Leudegisilus diaconus in uicem.
Medardo presbytero.
Tegredius abba subscripsit.
Eunius presbyter subscripsit.
Filmatius presbyter subscripsit.
Nonnouius presbyter subscripsit.
Ballomeris presbyter subscripsit.
Romacharius presbyter subscripsit.
Medardus presbyter subscripsit.
Audila presbyter subscripsit.
Genulfus presbyter subscripsit.
Sagrius presbyter subscripsit.

Explicit Autisioderensis sinodus.

Leudegisilus, diacre, comme délégué.
Médard, prêtre.
Tegredius, abbé, a souscrit.
Eunius, prêtre, a souscrit.
Filmatius, prêtre, a souscrit.
Nonnovius, prêtre, a souscrit.
Ballomeris, prêtre, a souscrit.
Romacharius, prêtre, a souscrit.
Médard, prêtre, a souscrit.
Audila, prêtre, a souscrit.
Genulfus, prêtre, a souscrit.
Sagrius, prêtre, a souscrit.

Fin du synode d'Auxerre.

CONCILE DE PARIS V[1]
(10 octobre 614)

Seul roi depuis 613 de tout le territoire occupé par les Francs, Clotaire II convoque l'année suivante un grand concile à Paris. Douze métropolitains, soixante de leurs comprovinciaux, deux autres évêques, l'abbé Pierre de Cantorbéry et un évêque venu d'Angleterre, répondirent à cet appel.

Tant par le nombre des participants que par les décisions qui y furent prises, le concile de 614 est le plus important des conciles tenus dans le royaume mérovingien. Cependant ses canons n'ont été conservés que par deux collections canoniques et ils ont été peu utilisés par les grands recueils médiévaux.

A travers les rappels de la disciplines ecclésiastique apparaît le triste état dans lequel se trouve l'Église mérovingienne au début du VIIe siècle : simonie et interventions du prince dans les désignations épiscopales, abus d'autorité des évêques, révolte des clercs contre la hiérarchie, appel au pouvoir séculier dans les conflits ecclésiastiques, empiètement des juridictions laïques, spoliation des églises et des monastères, transgression des engagements religieux, unions incestueuses, etc.

---

1. Cf. HEFELE-LECLERCQ, III[1] p. 250-254 ; DE CLERCQ, *Législation*, p. 57-62.

2. L'*edictum* de Clotaire II a été reproduit par DE CLERCQ (p. 283-285), d'après l'édition BORETIUS, (*MGH, Capit.* 1, [1883], p. 20-23), revue sur le ms. de Berlin, *Phillipp. 1743*.

Quelques jours après la réunion conciliaire, le 15 octobre 614, le roi promulguait un édit, qui reprenait certaines dispositions conciliaires, mais qui parfois les modifiait, les complétait ou s'en démarquait[2].

TRANSMISSION : Les canons du concile n'ont été conservés que dans la collection de Reims, où le concile figure à la fin du manuscrit, dans une adjonction, et dans la collection de Diessen. La seconde est seule à transmettre les nombreuses souscriptions[3].

DESTINÉE ULTÉRIEURE : Le concile de Paris, comme la majeure partie de la législation conciliaire mérovingienne postérieure au milieu du VIe siècle, n'a pas reçu grand accueil dans les collections canoniques. Il est ignoré des collections gauloises comme des collections de l'Espagne wisigothique. Il a servi à Benoît le Lévite (c. 6, 11, 14, 15). On retrouve le c. 15 (13) dans les Décrets de Burchard de Worms, d'Yves de Chartres et de Gratien, où figure aussi le c. 6.

3. La collection de Diessen distingue une préface et 17 canons ; celle de Reims ne compte que 15 canons. Nous indiquons entre parenthèses cette seconde numérotation.

CONCILIVM PARISIENSE
614. Oct. 10.

SYNODO PARISIVS
IN BASILICA DOMINI PETRI

Cum in Dei nomine secundum priscorum sanctorum patrum constitutiones in urbem Parisius ex euocatione gloriosissimi principis domni Hlotharii regis in synodali concilio conuenissemus tam pro renouandis antiquorum canonum statutis, quae praesentis temporis necessarium fecit oportunitas iterari, quam his, quae adsurgentibus undecumque querelarum materiis recentis definitionis ordo poposcit institui, tractantes, quid quommodo principis, quid saluti populi utillius conpeteret uel quid ecclesiasticus ordo salubriter obseruaret.

1. Primo in loco, ut canonum statuta in omnibus conseruentur et, quod per prolixa temporum spatia praetermissum est, uel deinceps perpetualiter obseruetur.

2. Hoc est : ut decedente episcopo in loco ipsius ille Christo propitio debeat ordinari, quem metropolitanus, a quo ordinandus est, cum conprouincialibus suis, clerus uel populus ciuitatis illius absque ullo quommodo uel datione pecuniae elegerint. Quod si aliter aut potestatis subreptione aut quacumque neglegentia absque electione metropolitani, cleri consensu uel ciuium fuerit in ecclesia intromissus, ordinatio ipsius secundum statuta patrum irrita habeatur.

---

1. Formule presque identique dans le préambule du concile de Lyon II.

2. Le c. 1 de l'Édit de Clotaire II, qui reprend cette disposition, y ajoute une *ordinatio* royale.

CONCILE DE PARIS
10 octobre 614

SYNODE DE PARIS
EN LA BASILIQUE SAINT-PIERRE

Comme nous nous étions réunis au nom du Seigneur en assemblée synodale, selon les constitutions des saints Pères anciens, en la ville de Paris, à l'invitation de notre très glorieux prince notre seigneur le roi Clotaire, autant pour renouveler les statuts des anciens canons que les circonstances présentes obligent à réitérer, que pour statuer sur les points qui, devant les sujets de discussion qui surgissent de toute part, appellent la fixation d'une règle nouvelle, nous avons délibéré de ce qui convenait plus utilement, soit à l'avantage du prince, soit au salut du peuple, et de ce que réclamait avantageusement le bon ordre de l'Église [1].

1. En premier lieu, que les statuts canoniques soient observés en tous points, et que ce qui a été laissé de côté durant un long intervalle de temps soit, désormais du moins, perpétuellement observé.

2. C'est à savoir : qu'à la mort d'un évêque soit ordonné à sa place, avec la faveur du Christ, celui que le métropolitain à qui il appartient de l'ordonner avec ses comprovinciaux, ainsi que le clergé et le peuple de cette cité, auront élu, sans qu'intervienne aucun intérêt ni versement d'argent. Et s'il est introduit dans l'église d'une autre façon, soit par empiètement du pouvoir, soit par quelque incurie, sans l'élection du métropolitain ni le consentement du clergé et du peuple, que son ordination soit tenue pour nulle, suivant les statuts des Pères [2].

3 (2). Vt nullus episcoporum se uiuente alium in loco suo non eligat nec qualiscumque persona illo superstite locum ipsius sub quocumque argumento uel ingenio adoptare presumat nec a quemquam debeat ordinari, nisi certae conditiones extiterint, ut ecclesiam suam nec regere ualeat aut ecclesiasticam regulam, ut ordo exposcit, conseruare. Quod si quis contemptor constitutionis huius hoc adtemtare presumserit, canonicam se nouerit excepturum sententiam.

4. Salubriter consilio unianimi instituimus obseruandum, ut, si episcopus, quod non credimus esse uenturum, aut per iracundiam, quod esse non debet, aut per pecuniam abbatem, quia fratres nostri sunt, de loco suo eiecerit non canonice, ille abbas recurrat ad synodum. Et quia fragilis esse nostra natura uidetur, si episcopus, qui eum eiecit, ab hac luce migrauerit, successor eius abiectum fratrem reuocet ad sedem.

5 (3). Vt, si quis clericus quolibet honore munitus contempto episcopo suo ad principem uel ad potentiores homines uel ubi aut ubi ambulare uel sibi patronum elegerit, non recipiatur, preter ut ueniam debeat promereri. Quod si fecerit, hii, qui ipsum post admonitionem pontificis sui retinere presumpserint, nouerint se utrumque priorum canonum sententia esse damnandos.

6 (4). Vt nullus iudicum neque presbyterum neque diaconem aut clericum aut iuniores ecclesiae sine scientia pontificis per se distringat aut condemnare presumat. Quod si fecerit, ab ecclesia, cui iniuriam inrogare dinos-

---

1. Disposition reprise dans le c. 2 de l'Édit de Clotaire.
2. Voir le c. 7 du concile de Tours.
3. Disposition reprise par le c. 3 de l'Édit de Clotaire.

3 (2). Qu'aucun évêque, de son vivant, ne se choisisse un successeur, et que personne, lui vivant, n'ait l'audace de s'approprier sa place, sous quelque motif ou faux prétexte que ce soit[1], ou puisse être ordonné par qui que ce soit, sauf si se présentent des conditions précises où cet évêque ne pourrait ni gouverner son église, ni faire respecter la discipline ecclésiastique, comme l'exige le bon ordre. Et si quelque contempteur de la présente constitution se permettait une telle usurpation, il sera, qu'il le sache, frappé d'une sentence canonique.

4. D'un avis unanime, nous avons fixé sagement que si un évêque — ce qui, pensons-nous ne se produira pas — a, soit par emportement — ce qu'il ne faut pas —, soit pour de l'argent, chassé de sa place un abbé sans motif canonique — or ils sont nos frères —, que cet abbé recoure au synode. Et puisque notre nature est fragile, si l'évêque qui l'a chassé vient à quitter ce monde, que son successeur rappelle à son poste le frère qui a été chassé[2].

5 (3). Si un clerc, quelle que soit la dignité qu'il possède, se rend, au mépris de son évêque, auprès du prince ou des puissants, ou ici ou là, ou s'il se choisit un patron, qu'il ne soit plus reçu, sinon pour obtenir son pardon[3]. S'il le fait, que ceux qui osent le retenir après une monition de son évêque sachent qu'ils seront, lui et eux, condamnés selon la sentence des anciens canons[4].

6 (4). Qu'aucun juge ne punisse lui-même ni ne se permette de condamner un prêtre, ni un diacre, ni un clerc, ni les jeunes de l'église, à l'insu de leur évêque. S'il

4. Voir le c. 8 du concile d'Agde.

citur, tamdiu sit sequestratus, quamdiu reatu suum cognoscat et emendet.

7 (5). Liberti quorumcumque ingenuorum a sacerdotibus defensentur nec ad publicum ullatenus reuocentur.
Quod si quis ausu temerario eos inprimere uoluerit aut
ad publicum reuocare et admonitus per pontificem ad
audientiam uenire neglegerit aut emendare quod perpe-
trauit distulerit, communione priuetur.

8 (6). Quaecumque pro sarcetecta ecclesiis fuerint ad-
legata, in potestate pontifices, presbyteri uel seruientes
sanctorum locorum, secundum uoluntatem conferentis,
ad se debeant reuocare. Quod si aliquis exinde quodcumque abstulerit, nouerit se ab ecclesia sequestratum,
quousque ea, quae abstulit, studeat reformare.

9 (7). His etiam constitutionibus adnecti placuit, ut
defuncto episcopo, presbytero uel diacono uel quemquam
ex iuniore ordine clericum non per preceptum neque per
iudicem neque per qualemcumque personam res ecclesiae
uel eorum proprietas, quousque aut de testamentis aut
qualemcumque obligationem fecerit cognoscatur, a nullo
penitus supra scriptae res contingantur, sed ab archidiacono uel clero in omnibus defendantur et conseruentur.
Quod si quis inmenmor definitionis huius temere aliquid
exinde auferre presumpserit aut ausu temerario in res
ipsas ingressus fuerit et de dominatione ecclesiae abstulerit, ut necator pauperum a communione priuetur.

1. Le c. 4 de l'Édit de Clotaire, qui reprend cette disposition, admet
la compétence séculière en matière criminelle. — Ce canon, utilisé par
Benoît le Lévite (II, 156 et III, 139), figure dans le Décret de Gratien
(Causa 11, q. 1, c. 2).
2. Principe repris par le c. 7 de l'Édit de Clotaire. Toutefois l'Édit
exige simplement la présence de l'évêque ou du prévôt de l'Église lors

le fait, qu'il soit exclu de l'église, à laquelle il fait injure ; cela jusqu'à ce qu'il reconnaisse sa faute et la répare [1].

7 (5). Que les affranchis de toute personne libre soient défendus par les évêques, et qu'ils ne soient en aucun cas ramenés au domaine public [2]. Si quelqu'un, par une audace téméraire, veut les opprimer et les ramener au domaine public, et que, sommé par l'évêque, il s'abstient de venir à son tribunal ou se dispense de réparer son forfait, qu'il soit privé de la communion.

8 (6). Pour tous les legs faits aux églises pour leur entretien, que les pontifes, les prêtres et les desservants des lieux saints en prennent possession, selon la volonté du disposant. Si quelqu'un en soustrait quoi que ce soit, qu'il se sache exclu de l'Église, jusqu'à ce qu'il fasse en sorte de restituer ce qu'il a soustrait.

9 (7). Il a été décidé d'ajouter à ces constitutions qu'à la mort d'un évêque, d'un prêtre ou d'un diacre, ou d'un clerc encore au rang des jeunes, personne absolument ne touche aux biens de l'église ni à leurs biens propres, que ce soit au nom d'un précepte royal ou par l'autorité d'un juge ou de quelque personnage que ce soit, jusqu'à ce qu'on ait pris connaissance de leur testament ou de ce qu'ils ont contracté comme obligations, mais que ces biens soient entièrement mis sous la protection et la garde de l'archidiacre ou du clergé. Si quelqu'un, oublieux de cette disposition, a la témérité d'oser en prendre quelque chose, ou, par une audace téméraire, prend possession de ces biens et les soustrait au domaine de l'Église, qu'il soit, comme assassin des pauvres, privé de la communion.

d'un procès contre un affranchi ou lorsqu'il est revendiqué par le domaine public.

10 (8). Conperimus idemque cupiditatis instinctu, deficientes abbates, presbiteros uel hos, qui pro titulis deseruiunt, presidium, quodcumque mortis tempore dereliquerint, ab episcopo uel ab archidiacono diripi et quasi sub augmentum ecclesiae uel episcopi in iure episcopi reuocari et ecclesiam Dei per prauas cupiditates expoliatam relinqui. Id statuimus obseruandum, ut nullus episcopus aut archidiaconus ausu temerario exinde aliquid auferre presumat, sed in loco, ubi moriens hoc dereliquerit, perpetualiter debeat permanere. Si quis super hanc difinitionem exinde aliquid abstulerit, anathematis stigmate feriatur.

11 (9). Id etiam nostrum placuit adiungi consensum fixo in eterno permansurum atque a quocumque presule obseruandum iuxta antiquorum patrum constituta, ut nullus episcoporum uel saecularium cuiuscumque alterius episcopi seu ecclesiae seu priuatas res aut regnorum diuisione aut prouinciarum sequestratione conpetere aut peruadere audeat aut quacumque acceptatione aut peruasione possidere aut retinere presumat. Quod si quis hoc facere adtemptauerit, tamdiu sit ab omnium caritate suspensus uel a communionis gratia sequestratus, quoadusque res ablatas cum fructuum satisfactione restituat.

12 (10). Et quia multae tergiuersationes infidelium ecclesiam Dei quaerunt conlatis priuari donariis, secundum constitutionem precedentium pontificum id conuenit inuiolabiliter obseruari, ut testamenta, quae episcopi, presbyteri seu inferioris ordinis clerici uel donationes aut quaecumque strumenta propria uoluntate confecerint,

---

1. *Tituli* : églises paroissiales dans les villes. Cf. BLAISE, § 8.
2. Phrase latine appelant des corrections.
3. Le c. 11 figure chez Benoît le Lévite III, 140.

10 (8). Nous avons appris de même que, sous la poussée de la cupidité, au décès des abbés, des prêtres ou de ceux qui desservent les églises [1], les biens qu'ils ont laissés à leur mort sont saisis par l'évêque ou par l'archidiacre et transférés au domaine de l'évêque, sous prétexte d'accroître la fortune de l'église ou de l'évêque, tandis que l'église de Dieu demeure spoliée par ces honteuses cupidités. Nous avons statué que l'on respectera ce point : qu'aucun évêque ou archidiacre ne se permette, par une téméraire audace, de saisir quelque chose de pareils biens, mais que ce qu'a laissé en tel lieu le défunt y demeure à perpétuité. Si quelqu'un, au mépris de cette décision, en soustrait quelque chose, qu'il soit stigmatisé de l'anathème.

11 (9). Il a été décidé, de notre commun accord, que soit ajouté encore ce point, qui doit demeurer fixé à jamais et être observé par tout évêque, conformément aux constitutions des anciens Pères [2] : qu'aucun évêque ni aucun séculier n'ait l'audace d'occuper ou d'envahir les biens de tout autre évêque, que ce soit ceux de l'église ou les siens propres, à la faveur du partage des royaumes ou de l'annexion des territoires ; qu'il ne se hasarde pas à en prendre possession ou à les garder pour lui à quelque titre que ce soit, ou par occupation violente. Si quelqu'un commet pareil abus, qu'il soit privé de la charité de tous et exclu de la grâce de la communion jusqu'à ce qu'il ait restitué les biens enlevés, plus l'équivalent des revenus [3].

12 (10). Et puisque de nombreuses machinations de gens infidèles visent à priver l'Église de Dieu des donations à elle attribuées, il convient, selon les constitutions des précédents pontifes, d'observer inviolablement ceci : que les testaments, comme aussi les donations ou tous autres actes qu'ont rédigés de leur propre volonté des

quibus aliquid ecclesiae aut quibuscumque personis
conferre uideantur, omni stabilitate subsistant ; id specialiter statuentes, ut, etiamsi quorumcumque religiosorum
uoluntas aut necessitate aut simplicitate faciente aliquid
a legum saecularium ordine uisa fuerit discrepare, uoluntas tamen defunctorum debeat inconcussa manere et in
omnibus Deo propitio custodiri. De quibus rebus si quis
animae suae contemptor aliquid alienare presumpserit,
usque ad emendationis suae uel restitutionis rei ablatae
tempus a consortio ecclesiastico uel omnium christianorum conuiuio habeatur alienus.

13 (11). Placuit etiam secundum constitutionem ante-
riorem, ut, si quis episcoporum cum coepiscopo suo
quodcumque negotium exsequi uoluerit, ad iudicium metropolitani sui recurrat. Quod si spreto metropolitano uel
reliquos conprouinciales iudicem publicum adierit, tamdiu a caritate metropolitani habeatur extraneus, quamdiu
in proximum synodum coram fratribus facti huius debeat
reddere rationem.

14 (12). Illud etiam unianimi consensu conuenit, ut, si
quis monachorum aut monacha in congregatione positi
religiosam conuersationem elegerint et postea aut ad
parentes aut quamcumque propriam substantiam se de
congregatione ipsa subtraxerint et ab episcopo suo per
epistolam admoniti ad septa monasterii sui redire distulerint, sint usque ad exitum uitae a communione suspensi
nec prius ad eucharistiae gratiam admittantur, quam ad
ouile suum, de quo se uagationis insolentia uisi sunt
subtraxisse, cum humillimae subplicationis debeant satisfactione reuerti.

1. Voir le c. 2 du concile de Lyon II.
2. Voir le c. 1 du concile de Lyon II.
3. Le c. 14 figure chez Benoît le Lévite III, 337.

évêques, des prêtres ou des clercs des ordres inférieurs, par lesquels ils confèrent un bien à l'Église ou à qui que ce soit, demeurent pleinement valables. Nous spécifions que, même si les volontés de quelques hommes d'Église (*religiosi*) se trouvent, par nécessité ou par ignorance, s'écarter sur un point des règles fixées par les lois séculières, les volontés des défunts doivent néanmoins demeurer intangibles et être respectées en tout point, avec l'aide de Dieu. Si, de ces biens, quelqu'un, au mépris de son âme, ose détourner une part, qu'il soit, jusqu'au jour de son amendement et de la restitution du bien volé, tenu à l'écart de la communauté de l'Église et de la table commune des chrétiens [1].

13 (11). Il a été décidé aussi, conformément aux constitutions antérieures, que si un évêque veut régler un différend avec un de ses collègues dans l'épiscopat, il doit recourir au jugement de son métropolitain. Et si, au mépris du métropolitain et des autres évêques de la province, il s'adresse au juge public, qu'il demeure étranger à la communion (*caritas*) avec son métropolitain jusqu'à ce qu'au synode prochain il rende compte de ce forfait devant ses frères [2].

14 (12). Il a encore été convenu, d'un accord unanime, que si un moine ou une moniale vivant en communauté ont choisi la vie religieuse et ensuite se sont évadés de cette communauté, pour vivre auprès de leurs parents, ou de leurs propres ressources, et que, admonestés par écrit par leur évêque, ils diffèrent de regagner la clôture du monastère, ils soient jusqu'à la fin de leur vie privés de la communion, et ne soient pas réadmis à la grâce de l'eucharistie avant qu'ils n'aient regagné leur bercail, dont ils se sont évadés par un insolent vagabondage, en faisant réparation avec une très humble supplication [3].

15 (13). De uiduabus et puellis, quae sibi in habitu religionis in domos proprias tam a parentibus quam per se uestem mutauerint et se postea contra instituta patrum uel precepta canonum coniugio crediderint copulandas, tamdiu utrique habeantur a communione suspensi, quousque, quod inlicite perpetrauerunt, emendent, aut si emendare neglexerint, communione uel omnium christianorum conuiuio in perpetuo sint sequestrati.

16 (14). Incestas uero coniunctiones ab omni christianorum populo censuimus specialiter resecari, ita ut, si quis relictam fratris, sororem uxoris, priuignam, consobrinam uel relictam idem patrui atque auunculi uel in religionis habitu deditam coniugii crediderit consortio uiolandam, tamdiu a communionis gratia segregetur, quamdiu ab inlicitis coniunctionibus sequestratione manifestissima debeat abstinere.

17 (15). Vt nullus iudaeorum qualemcumque militiam aut actionem publicam super christianos aut adpetere a principe aut agere presumat. Quod si temptauerit, ab episcopo ciuitatis illius, ubi actionem contra canonum statuta conpetiit, cum omni familia sua baptismi gratiam consequatur.

---

1. Voir le c. 18 de l'Édit de Clotaire. — Ce canon 15, utilisé par Benoît le Lévite (III, 338), figure dans les Décrets de Burchard de Worms (VIII, 48), d'Yves de Chartres (VII, 66) et de Gratien (Causa 27, q. 1, c. 7).
2. Voir les c. 27-32 du concile d'Auxerre.
3. Voir le c. 10 de l'Édit de Clotaire.
4. Depuis le dernier tiers du VIe siècle, les baptêmes forcés se sont multipliés. L'assassinat de Priscus, marchand juif du palais de Chilpéric en 582, rapporté par GRÉGOIRE DE TOURS (*Hist. Franc.* VI, 17), se rattache à une mesure générale de conversion forcée. En 632 Dagobert

15 (13). Pour les veuves et les jeunes filles qui, dans leurs propres demeures, ont changé leur vêtement pour prendre un habit religieux, soit par la volonté de leurs parents, soit de leur propre mouvement, et qui ensuite, contrairement aux règles des Pères et aux prescriptions canoniques, ont cru pouvoir se marier, qu'elles et leurs conjoints soient tenus à l'écart de la communion jusqu'à ce qu'ils aient corrigé ce qu'ils ont commis d'illicite ; ou s'ils omettent de le corriger, qu'ils soient à jamais exclus de la communion comme de la table de tous les chrétiens [1].

16 (14). Nous avons estimé d'autre part que les unions incestueuses sont tout particulièrement à retrancher de tout le peuple chrétien. Donc, si quelqu'un croit pouvoir abuser par une union conjugale de la veuve de son frère, de la sœur de sa femme, de sa belle-fille (*priuigna*), de sa cousine, ou encore de la veuve de son oncle paternel ou maternel, ou d'une personne consacrée dans la vie religieuse, qu'il soit exclu de la grâce de la communion aussi longtemps qu'il ne rompra pas ces liens illicites par une séparation tout à fait évidente [2].

17 (15). Qu'aucun juif n'ait l'audace de solliciter du prince ou n'exerce un office ou une charge publique qui lui donne autorité sur les chrétiens [3]. S'il s'y risque, qu'il reçoive avec toute sa famille, de la main de l'évêque de la cité où il a exercé sa charge à l'encontre des statuts canoniques, la grâce du baptême [4].

prescrira le baptême de tous les juifs du royaume. Ces mesures sont inspirées par une politique de maintien de l'unité du royaume, que doit cimenter l'unité religieuse ; cf. M. ROUCHE, « Les baptêmes forcés de juifs en Gaule mérovingienne et dans l'Empire d'Orient », in *De l'anti-judaïsme antique à l'antisémitisme contemporain*, Lille 1979, p. 105-124.

Factum synodo VI. id. Octobris in basilica beati Petri apostoli Parisius, anno XXXI. regni gloriosissimi domni Hlothari principis.

Ex ciuitate Lugdonum Aridius episcopus.
Ex ciuitate Arelate Florianus episcopus.
Ex ciuitate Vienna Domulus episcopus.
Ex ciuitate Rodomagum Hildulfus episcopus.
Ex ciuitate Treueris Sabaudus episcopus.
Ex ciuitate Bessuntione Proardus episcopus.
Ex ciuitate Colonia Solacius episcopus.
Ex ciuitate Beturregas Austrigisilus episcopus.
Ex ciuitate Burdegala Arnegisilus episcopus.
Ex ciuitate Senonis Lupus episcopus.
Ex ciuitate Remus Sunnacius episcopus.
Ex ciuitate Elosa Leodomundus episcopus.
Ex ciuitate Vicoiulio Palladius episcopus.
Ex ciuitate Agustidunum Rocco episcopus.
Ex ciuitate Sanctonex Audoberhtus episcopus.
Ex ciuitate Cinnomannis Bertegramnus episcopus.
Ex ciuitate Andecauis Magnobodus episcopus.
Ex ciuitate Pectauis Ennoaldus episcopus.
Ex ciuitate Redonis Haimoaldus episcopus.
Ex ciuitate Namnatis Eufronius episcopus.
Ex ciuitate Baiocas Leodoaldus episcopus.
Ex ciuitate Abrincatas Hildoaldus episcopus.
Ex ciuitate Vasatis Gudualdus episcopus.
Ex ciuitate Matascone Deutatus episcopus.
Ex ciuitate Aurilianis Liudigisilus episcopus.
Ex ciuitate Aluiae Fredemendus episcopus.
Ex ciuitate Alticiotro Disiderius episcopus.

1. Plus tard désignée par le titre de Sainte-Geneviève.
2. Les 12 premiers noms sont ceux de métropolitains. Le métropolitain de Tours, mourant ou peut-être déjà décédé, n'assiste pas au concile. Absent aussi celui de Mayence, bien que ses suffragants de Worms, Spire et Strasbourg fussent présents. Pour la 1re fois, l'évêque

Fait en synode le 6 des ides d'octobre, en la basilique du bienheureux Pierre apôtre [1], à Paris, en la 31e année du règne de notre très glorieux seigneur le prince Clotaire.

De la cité de Lyon, l'évêque Aridius [2].

De la cité d'Arles, l'évêque Florianus.

De la cité de Vienne, l'évêque Domulus.

De la cité de Rouen, l'évêque Hildulfus.

De la cité de Trèves, l'évêque Sabaudus.

De la cité de Besançon, l'évêque Proardus.

De la cité de Cologne, l'évêque Solacius.

De la cité de Bourges, l'évêque Austrigisilus.

De la cité de Bordeaux, l'évêque Arnegisilus.

De la cité de Sens, l'évêque Loup.

De la cité de Reims, l'évêque Sunnacius.

De la cité d'Eauze, l'évêque Leodomundus.

De la cité d'Aire, l'évêque Palladius.

De la cité d'Autun, l'évêque Rocco.

De la cité de Saintes, l'évêque Audobertus.

De la cité du Mans, l'évêque Bertegramnus.

De la cité d'Angers, l'évêque Magnobodus.

De la cité de Poitiers, l'évêque Ennoaldus.

De la cité de Rennes, l'évêque Haimoaldus.

De la cité de Nantes, l'évêque Eufronius.

De la cité de Bayeux, l'évêque Leodoaldus.

De la cité d'Avranches, l'évêque Hildoaldus.

De la cité de Bazas, l'évêque Gudualdus.

De la cité de Mâcon, l'évêque Deutatus.

De la cité d'Orléans, l'évêque Liudigisilus.

De la cité d'Albi, l'évêque Fredemendus.

De la cité d'Auxerre, l'évêque Desiderius.

de Besançon est explicitement reconnu comme métropolitain. — Des études sur certains noms d'évêques sont signalées par HEFELE-LE-CLERCQ, III [1], p. 251.

Ex ciuitate Caturcus Eusepius episcopus.
Ex ciuitate Besuntione Protagius episcopus.
Ex ciuitate Cabillonno Antestis episcopus.
Ex ciuitate Lingoris Miechius episcopus.
Ex ciuitate Carnotis Theodoaldus episcopus.
Ex ciuitate Belisio Aquilenus episcopus.
Ex ciuitate Sisterone Secundinus episcopus.
Ex ciuitate Tholosa Hiltigisilus episcopus.
Ex ciuitate Vallesse Leodomundus episcopus.
Ex ciuitate Marace Gaugericus episcopus.
Ex ciuitate Gracinopoli Suagrius episcopus.
Ex ciuitate Niuerno Raurecus episcopus.
Ex ciuitate Trigassinum Agrigola episcopus.
Ex ciuitate Vasione Vincentius episcopus.
Ex ciuitate Dea Maximus episcopus.
Ex ciuitate Ebrituno Lopacharus episcopus.
Ex ciuitate Vapinco Valatonius episcopus.
Ex ciuitate Vindesca Ambrosius episcopus.
Ex ciuitate Antheopoli Eusepius episcopus.
Ex ciuitate Apte Innocentius episcopus.
Ex ciuitate Loxouia Chamnegisilus episcopus.
Ex ciuitate Meldus Gundoaldus episcopus.
Ex ciuitate Rotemus Verus episcopus.
Ex ciuitate Lugdono Glauatu Rigobertus episcopus.
Ex ciuitate Cura Victor episcopus.
Ex ciuitate Ambianus Berachundus episcopus.
Ex ciuitate Ebroegas Erminulfus episcopus.
Ex ciuitate Latona Palladius episcopus.
Ex ciuitate Nicia Abraham episcopus.
Ex ciuitate Tollo Eudila episcopus.

---

1. Déjà cité plus haut parmi les métropolitains sous la forme *Proardus*, son nom est en réalité *Protadius*.

2. Passée sous l'autorité du métropolitain de Bourges.

3. Le ms. dit *Latona*. J. MARILIER, « Les privilèges épiscopaux de l'église de Losne (Côte d'Or) », *Mémoires de la Société pour l'histoire*

De la cité de Cahors, l'évêque Eusèbe.

De la cité de Besançon, l'évêque Protagius [1].

De la cité de Chalon, l'évêque Antestis.

De la cité de Langres, l'évêque Miechius.

De la cité de Chartres, l'évêque Theodoaldus.

De la cité de Belley, l'évêque Aquilenus.

De la cité de Sisteron, l'évêque Secundinus.

De la cité de Toulouse [2], l'évêque Hiltigisilus.

De la cité du Valais, l'évêque Leodomundus.

De la cité de Cambrai, l'évêque Gaugericus.

De la cité de Grenoble, l'évêque Syagrius.

De la cité de Nevers, l'évêque Raurecus.

De la cité de Saint-Paul-Trois-Châteaux, l'évêque Agrigola.

De la cité de Vaison, l'évêque Vincent.

De la cité de Die, l'évêque Maxime.

De la cité d'Embrun, l'évêque Lopacharus.

De la cité de Gap, l'évêque Valatonius.

De la cité de Venasque, l'évêque Ambroise.

De la cité d'Antibes, l'évêque Eusèbe.

De la cité d'Apt, l'évêque Innocent.

De la cité de Lisieux, l'évêque Chamnegisilus.

De la cité de Meaux, l'évêque Gundoaldus.

De la cité de Rodez, l'évêque Verus.

De la cité de Laon, l'évêque Rigobertus.

De la cité de Lescar (?), l'évêque Victor.

De la cité d'Amiens, l'évêque Berachundus.

De la cité d'Évreux, l'évêque Erminulfus.

De la cité de Lectoure (?), l'évêque Palladius [3].

De la cité de Nice, l'évêque Abraham.

De la cité de Toul, l'évêque Eudila.

du droit et des institutions des anciens pays bourguignons, comtois et romands 24 (1963), p. 253-259, propose de voir en Palladius le titulaire d'un éphémère siège épiscopal de Losne.

Ex ciuitate Senacio Marcellus episcopus.
Ex ciuitate Nocciomo Berhtmundus episcopus.
Ex ciuitate Vuarnacio Berhtulfus episcopus.
Ex ciuitate Aginno Flauardus episcopus.
Ex ciuitate Gaballetano Agricula episcopus.
Ex ciuitate Loxouias Launomundus episcopus.
Ex ciuitate Equilisima Bassolus episcopus.
Ex ciuitate Treiecto Bettulfus episcopus.
Ex ciuitate Sedonis Dracoaldus episcopus.
Ex ciuitate Tolosa Vuigillisilus episcopus.
Ex ciuitate Catalaunis Leudomeris episcopus.
Ex ciuitate Viredono Harimeris episcopus.
Ex ciuitate Sissionis Ansericus episcopus.
Ex ciuitate Sammo Marcellus episcopus.
Ex ciuitate Consorannis Iohannis episcopus.
Ex ciuitate Parisius Ceraunius episcopus.
Ex ciuitate Stratoburgo Ansoaldus episcopus.
Ex ciuitate Spira Hildericus episcopus.
Ex ciuitate Petrocorius Aggus episcopus.
Ex ciuitate Lorione Helarianus episcopus.
Ex ciuitate Castro ultra mare Iustus episcopus.
Ex ciuitate Massilia Peter episcopus.
Peter abba de Dorouerno.

1. Un autre nom est donné plus haut pour le même siège.
2. Le diocèse figurait déjà plus haut avec un nom un peu différent pour l'évêque, *Hiltigisilus*. *Vuigillisilus* est confirmé par les souscriptions du concile de Clichy. — Les 3 doublets (Besançon, Lisieux, Toulouse) paraissent indiquer la fusion de 2 listes de souscriptions. De même la

De la cité de Senez, l'évêque Marcel.

De la cité de Noyon, l'évêque Berhtmundus.

De la cité de Worms, l'évêque Berhtulfus.

De la cité d'Agen, l'évêque Flavardus.

De la cité de Javols, l'évêque Agricola.

De la cité de Lisieux, l'évêque Launomundus [1].

De la cité d'Angoulême, l'évêque Bassolus.

De la cité de Maestricht, l'évêque Bettulfus.

De la cité de Sion, l'évêque Dracoaldus.

De la cité de Toulouse, l'évêque Vuigillisilus [2].

De la cité de Châlons, l'évêque Leudomeris.

De la cité de Verdun, l'évêque Harimeris.

De la cité de Soissons, l'évêque Ansericus.

De la cité de Saint-Pol-de-Léon (?), l'évêque Marcel.

De la cité du Couserans, l'évêque Jean.

De la cité de Paris, l'évêque Ceraunius.

De la cité de Strasbourg, l'évêque Ansoaldus.

De la cité de Spire, l'évêque Hildericus.

De la cité de Périgueux, l'évêque Aggus.

De la cité d'Oloron, l'évêque Helarianus.

De la cité de Rochester, l'évêque Justus.

De la cité de Marseille, l'évêque Pierre.

Pierre, abbé de Cantorbéry.

présence d'un évêque du Valais (*Leodomundus*) et d'un évêque de Sion (*Dracoaldus*), alors qu'il s'agit du même diocèse : cf. C. SANTSCHI, « Les premiers évêques du Valais et leur siège épiscopal », *Vallesia* 36 (1981), p. 3.

CONCILE DE CLICHY [1]
(27 septembre 626-627 [2])

Réuni, comme celui de Paris, à l'initiative de Clotaire II, ce concile se tint dans la basilique de la Vierge à Clichy. Depuis 622-625, le gouvernement de l'Austrasie avait été confié par Clotaire à son fils Dagobert. Le concile n'en compta pas moins des prélats de Neustrie et d'Austrasie. Quarante évêques furent présents, deux avaient envoyé des délégués. Les provinces de Bordeaux, Bourges, Sens et Tours furent les mieux représentées. Si les métropolitains de Reims, Trèves, Lyon, Eauze furent accompagnés de suffragants, ceux de Vienne, Besançon, Cologne représentaient seuls leur province [3]. La province de Rouen n'eut que deux évêques, celle d'Arles n'en eut aucun.

Beaucoup moins important en nombre que le concile de Paris V, celui de Clichy en apparaît comme le prolon-

---

1. Cf. HEFELE-LECLERCQ, III[1], p. 264 ; DE CLERCQ, *Législation,* p. 62-65.

2. A la fin des actes du concile, il est dit qu'il eut lieu « la 43e année de notre seigneur le roi Clotaire ». Mais comme on ignore si le règne de Clotaire commença à la fin de septembre ou au début d'octobre, on ne peut pas dire si le 27 septembre de la 43e année se situe en 626 ou en 627.

3. CHAMPAGNE et SZRAMKIEWICZ (p. 18-19) relèvent 15 cas dans lesquels le métropolitain est seul de sa province à un concile, dont 12 depuis le milieu du VIe siècle. S'agirait-il d'une certaine habitude, dont les raisons pourraient être très variées (autorité du métropolitain, manque de zèle des évêques, difficultés des voyages, etc.) ?

gement, tant par le rôle qu'y joua Clotaire II que par des dispositions qui reprirent celles de 614.

On notera la servilité dont l'épiscopat fit preuve à l'égard de Clotaire dans le préambule du texte, en le comparant à David et en le considérant comme l'inspirateur prophétique des canons.

TRANSMISSION : Les canons du concile de Clichy sont conservés par la collection de Diessen.

Écrivant au Xe siècle son *Historia ecclesiae Remensis*, FLODOARD reproduit (II, 5) les actes d'un concile qui se serait tenu — il ne dit pas où — « sous l'évêque Sonnatius » de Reims. Les 25 canons qu'il donne sont précédés des noms de 41 évêques présents. Ce *concilium sub Sonnatio habitum*, ou *concilium Remense* a été édité à part, d'après Flodoard, dans les anciennes collections, y compris celle de MAASSEN (p. 204-206). En fait, L. DUCHESNE (*Comptes rendus de l'Acad. des Inscr. et Belles Lettres* 33, 4e série, t. 17, 1889, p. 94), suivi par C. DE CLERCQ (p. 298 ; *Législation,* p. 65-66) et O. PONTAL (p. 175), a montré que Flodoard ne fait que reproduire, dans un ordre différent, les canons mêmes du concile de Clichy et les noms des participants à ce concile, avec de minimes différences. Un tableau synoptique des canons de Clichy et de ceux de « Reims » est donné par De Clercq (p. 298).

DESTINÉE ULTÉRIEURE : Pas plus que les canons de Paris V, ceux de Clichy n'ont eu les faveurs des collections canoniques franques ou wisigothiques. Et, moins heureux que le concile parisien, celui de Clichy n'a même pas transmis un canon aux grandes collections des Xe-XIe siècles ni au Décret de Gratien. Il est cependant connu de Benoît le Lévite, qui utilise le canon 7 pour composer un texte et qui reproduit le canon 10.

CONCILIVM CLIPPIACENSE
626 aut 627. Sept. 27.

SYNODVS
IN BASILICA SANCTAE MARIAE MATRIS DOMINI

In nomine Domini. Suggerente gloriosissimo atque piissimo domno Hlothario rege cum in suburbano Parisius in basilicam dominae Mariae matris Domini, quae in atrium sancti Dyonisii martyris sita est, iuxta predium, quod Clipiaco dicitur, uenissemus ibique clementia uestra canonum regulas tractare iussisset ac pro statu ecclesiae, quaeque sunt necessaria disponere precepisset, omnipotenti Domino gratiarum multiplices egimus actiones, qui uestrae gloriae talem indidit mentem, ut non minus pro pace ecclesiae quam pro uestrae felicitatis instantia uigiletis. Vnde non mediocriter gratulamur in Domino, quod ea, quae uobis diuinis uocibus nuntiantur, non solum precepta profertis, quin etiam a nobis dicenda preuenitis ac uelut ille Dauid et regni imperium gratia prouide gubernantes et ministrationem propheticam adimpletis.

Ergo quando nobis uestrae bonitatis gratia fiduciam contulit suggerendi, supplices speramus, ut eam constitutionis regulam nobis per omnia conseruetis, quam Parisius hactenus uobis presentibus in uniuersali Galliarum et magna synodo iuxta priscam canonum institutionem constitui precepistis. Est nobis ualde gratissimum, ut ea, quae uestro sunt imperio generaliter promulgata atque tantis sacerdotibus sunt edita uel digesta, in omnibus

CONCILE DE CLICHY
27 septembre 626 ou 627

SYNODE
TENU EN LA BASILIQUE DE SAINTE MARIE,
MÈRE DU SEIGNEUR

Au nom du Seigneur. Comme, à la suggestion de notre très glorieux et très pieux seigneur le roi Clotaire, nous nous étions réunis dans la banlieue de Paris, en la basilique de sainte Marie mère du Seigneur, qui est située dans l'atrium du martyr saint Denis, près du domaine appelé Clichy, et que là votre Clémence nous avait ordonné de traiter des règles canoniques et de prendre les dispositions nécessaires au bon ordre de l'Église, nous avons rendu mille actions de grâces au Dieu tout-puissant qui a inspiré à votre Gloire de veiller non moins à la paix de l'Église qu'au souci de votre propre félicité. Aussi ne nous réjouissons-nous pas peu dans le Seigneur de ce que, non seulement vous formulez les préceptes qui vous sont révélés par les paroles divines, mais encore vous anticipez ce que nous devons dire, et, comme l'illustre David, à la fois vous vous acquittez du gouvernement du royaume avec une heureuse prévoyance et vous remplissez un ministère prophétique.

Ainsi, puisque la faveur de votre Bonté nous a valu la confiance de vous le suggérer, nous espérons humblement que vous maintiendrez pour nous en tous points la réglementation de la constitution que naguère, à Paris, en votre présence, dans ce grand et universel synode des Gaules, vous avez prescrit d'établir d'après les règles des anciens canons. Il nous est extrêmement agréable que ce qui a été promulgué en général sous votre autorité, et publié et mis en ordre par de si nombreux évêques, soit observé en tous points. Et parce que nous avons ras-

conseruentur. Et quia nonnulla ex his capitula, quae per diuersos canonum scripsimus libros, in unum corpus collecta congessimus, huic predictae constitutioni iudicamus adnectenda, obsecramus obnixe, ut, quae uestra examinis libra ex his prophetauerit et predictis regulis elegerit esse subdenda, auctoritatis uestrae oraculo confirmentur perpetua Domino presule adstipulatione mansura.

1. Episcopus, presbyter uel diaconus usuras a debitoribus exigens aut desinat aut certe damnetur. Nam neque centesima exigant aut turpia lucra requirant ; sextuplum uel decuplum exigere prohibemus omnibus christianis.

2. Clerici quod etiam sine precatoriis qualibet diuturnitate temporis de ecclesiae remuneratione possederint, in ius proprietarium prescriptione temporis non uocetur, dummodo pateat rem ecclesiae fuisse, ne uideantur etiam episcopi administrationis prolixae aut precatorias, cum ordinati sint, facere debuisse aut diu tentas ecclesiae facultates proprietati suae posse transcribi.

3. Si cleri rebellionis ausu sacramentis se aut scriptura coniuratione constrinxerint atque insidias episcopo suo aut contra se callida allegatione confecerint, cum etiam saecularibus sit legibus omnino prohibitum, si admoniti emendare contempserint, gradu proprio omnino priuentur, sic tamen ut, si quas etiam causas se contra episcopo suo aut inter se habuerunt, proxima synodo requirantur.

---

1. *Prophetauerit* : cf., plus haut, *ministrationem propheticam* et, peu après, *oraculum*.

2. Texte repris en partie aux Canons des apôtres, c. 43 (version *Dionysiana*).

3. Reprise presque textuelle du c. 18 du concile d'Épaone (cf. *supra*, et les notes *ad loc.*).

semblé, recueillis en un seul ensemble, quelques-uns des chapitres que nous avons transcrits de divers recueils canoniques, nous jugeons à propos de les joindre à ladite constitution. Nous requérons instamment que ceux d'entre eux que l'équité de votre appréciation sera inspirée [1] de retenir et jugera devoir être joints auxdites règles, soient confirmés par l'oracle de votre autorité pour durer, sous la conduite du Seigneur, avec une perpétuelle garantie.

1. Que l'évêque, le prêtre ou le diacre qui exige de ses débiteurs des intérêts cesse de le faire, ou alors qu'il soit condamné [2]. Qu'ils n'exigent même pas le centième ou ne recherchent pas des profits honteux. Quant à exiger le sextuple ou le décuple, nous l'interdisons à tous les chrétiens.

2. Des biens que des clercs auront possédés comme rétribution de la part de l'église, même sans charte de précaire, aussi longtemps que ce soit, ne pourront être revendiqués comme propriété privée en vertu de la prescription, pourvu qu'ils soit clair que ce sont des biens d'Église. On n'estimera pas non plus que des évêques dont l'administration s'est prolongée, ou bien auraient dû rédiger des chartes de précaire lorsqu'ils ont été ordonnés, ou bien pourraient faire passer à leur propriété personnelle des biens d'Église longuement détenus [3].

3. Si des clercs, insolemment révoltés, se sont unis en une conjuration par serments ou acte écrit et ont tendu un guet-apens à leur évêque ou contre lui sous un prétexte perfide — ce qui déjà est absolument interdit par les lois séculières —, et si, prévenus, ils refusent de se corriger, qu'ils soient absolument privés de leur degré respectif, sous cette réserve que, s'ils ont par ailleurs des griefs contre leur évêque ou entre eux, ils soient interrogés au prochain synode.

4. Edictum uel capitula canonum, quod Parisius in generali illa synodo in basilica domni Petri constitutum est et a gloriosissimo domno Hlothario rege firmatum, sub omni firmitate censuimus custodire.

5. Et quando Deo iubente fides catholica iam ubique in Galliis perseuerat, si qui tamen bonosiaci aut occulte heretici esse suspicantur, a pastoribus ecclesiae sollicite requirantur et, ubicumque inuenti fuerint, ad fidem catholicam Domino presule reuocentur, ne per errorem paucorum uitium, quod absit, mentibus supplicibus imprematur.

6. Episcopus non temere quemquam excommunicare debet ; nam excommunicatus si se existimat iniuste damnatum, in proxima synodo habeat licentiam reclamandi et, si iniuste damnatus fuerit, absoluatur, sin autem iuste, impositae paenitentiae tempus exsoluat.

7. Si iudex cuiuslibet ordinis clericum publicis actionibus inclinare presumpserit aut pro quibuslibet causis absque conscientia et permissu episcopi distringere aut calumniis uel iniuriis affici presumpserit, a communione priuetur, sic tamen ut episcopus de reputatis conditionibus clericorum neglegentias emendare non tardet.

8. Hi uero quos publicus census expectat, sine permissu principis uel iudicis se ad religionem sociare non audeant.

1. Confirmation générale des dispositions du concile de Paris V.
2. Voir le c. 34 du concile d'Orléans III.
3. Le c. 7 figure chez Benoît le Lévite II, 164.

4. Nous avons décidé que l'édit, avec les articles des canons, qui a été arrêté à Paris au grand synode général tenu en la basilique Saint-Pierre et confirmé par notre très glorieux seigneur le roi Clotaire, doit être appliqué avec toute fermeté [1].

5. Et puisque, par la volonté de Dieu, la foi catholique se maintient à présent partout dans les Gaules, si pourtant l'on soupçonne des gens d'être des bonosiens [2] ou des hérétiques occultes, qu'ils soient interrogés avec soin par les pasteurs de l'Église, et que, partout où il s'en trouvera, ils soient ramenés à la foi catholique, sous la conduite du Seigneur, afin que le mal, par l'erreur d'un petit nombre, ne s'enracine surtout pas dans l'esprit des simples.

6. Un évêque ne doit pas excommunier quelqu'un inconsidérément : si l'excommunié estime qu'il a été condamné injustement, qu'il lui soit loisible de faire appel lors du prochain synode, et s'il a été condamné injustement, qu'il soit absous ; s'il l'a été justement, qu'il accomplisse le temps de pénitence imposé.

7. Si un juge se permet d'impliquer un clerc, quel que soit son rang, dans des procès publics, ou de l'arrêter pour quelque motif que ce soit, sans que l'évêque le sache et le permette, ou de lui faire subir des torts et des injures, qu'il soit privé de la communion, étant entendu pourtant que l'évêque ne tardera pas à corriger les négligences des clercs sur les points allégués [3].

8. Que ceux dont l'État attend une contribution (*census*) n'aient pas l'audace d'entrer en religion sans la permission du prince ou du comte.

9. Si quis fugitiuum ab ecclesia absque sacramento quacumque occasione substraxerit, a communione priuetur. Nam seruos accepto sacramento dominis propriis ab ecclesia produci licet. Si quis ius sacramenti prestitum temerauerit, communione priuetur. Nam hoc in ecclesia fugientibus est iurandum, quod de uita, tormento et truncatione securi exeant. Aliter si quis de ecclesia abstraxerit, communione priuetur, quod etiam in antiquis canonibus est preceptum. Ille uero qui sanctae ecclesiae beneficio liberatur a morte, non prius egrediendi accipiat libertatem, quam paenitentiam se pro scelere peccatorum agere promittat.

10. De incestis coniunctionibus. Si quis infra prescriptum canone gradum incestuoso ordine cum his personis, quibus a diuinis regulis prohibitum est, coniunx est, usquequo paenitentiam sequestratione testentur, utrique communione priuentur et neque in palatio habere militiam neque in forum agendarum causarum licentiam non habebunt. Nam quomodo predicti se incestuose coniunxerint, episcopi seu presbyteri, in quorum diocesi uel pago actum fuerit, regi uel iudicibus scelus perpetratrum adnuntient, ut, cum ipsis denuntiatum fuerit, se ab eorum communione aut cohabitatione sequestrent. Res autem eorum ad proprios parentes usque ad sequestrationem perueniant sub ea conditione, ut, antequam segregentur, per nullum ingenium neque per parentes neque per emtionem neque per auctoritatem regiam ad proprias per-

---

1. Sur ce régime, cf. TIMBAL, p. 99-101 et 121.

2. *Infra prescriptum canone gradum* : texte peu sûr emprunté par Maassen au *Concilium Remense*. Les mss donnent ici : *aut proscriptum non est gradus*, mots inintelligibles, diversement retouchés par les capitulaires carolingiens qui ont repris ce canon.

9. Si quelqu'un retire de l'église un fugitif, d'une façon ou d'une autre, sans avoir prêté le serment, qu'il soit privé de la communion. Il est légitime en effet que les esclaves soient remis à leurs maîtres par l'église une fois que le serment a été reçu. Si quelqu'un viole le droit du serment qu'il a prêté, qu'il soit privé de la communion. Ce qui doit être juré à ceux qui se sont réfugiés à l'église, c'est qu'ils sortiront assurés de la vie et à l'abri de la torture et de la mutilation. Si quelqu'un les retire de l'église d'une autre manière, qu'il soit privé de la communion, ce qui a déjà été prescrit dans les anciens canons. Quant à celui qui échappe à la mort grâce à la sainte Église, qu'il ne reçoive la permission de s'en aller qu'après avoir promis de faire pénitence pour ses coupables péchés [1].

10. Sur les unions incestueuses. Si quelqu'un, au degré prescrit par les canons, épouse [2] de manière incestueuse telles personnes avec lesquelles les lois divines interdisent de le faire, que jusqu'à ce qu'ils aient donné par leur séparation le témoignage de leur pénitence, tous deux soient privés de la communion ; ils n'auront pas jusque là la permission d'exercer une charge au palais, ni de traiter des affaires au tribunal. Lorsque de tels gens se sont unis de manière incestueuse, que les évêques ou les prêtres dans la circonscription (*dioecesis*) ou le territoire (*pagus*) où cela s'est passé dénoncent au roi et aux comtes le forfait commis, pour qu'une fois informés, ceux-ci s'abstiennent de la communion ou de la cohabitation avec eux. Que leurs biens reviennent à leurs parents jusqu'à ce qu'ils se séparent, sous cette condition que, jusqu'à leur séparation, ils ne pourront par aucun subterfuge, ni par l'intermédiaire de leurs parents, ni par un achat, ni par l'intervention royale, récupérer leurs biens personnels ; il le pourront seulement lorsqu'ils auront

ueniant facultates, nisi prefatum scelus sequestrationis separatione et paenitentia feriatur.

11. Si quis homicidium sponte commiserit et non uiolenter resistens, sed uim faciens interfecerit, cum isto penitus non communicandum, sic tamen ut, si paenitentiam egerit, in exitum ei communionis uiaticum non negetur.

12. Clerici uel saeculares qui oblationes parentum aut donatas aut testamento relictas retinere presumpserint aut id, quod ipsi donauerunt, ecclesiae aut monasteriis crediderunt auferendum, sicut synodus sancta constituit, uelut necatores pauperum, quousque reddant, ab ecclesiis excludantur.

13. Christiani iudaeis et gentilibus non uendantur. Nam si quis christianorum necessitate cogente mancipia sua christiana elegerit uenundanda, non aliis nisi tantum christianis expendat. Nam si paganis aut iudaeis uendiderit, communione priuetur et emptio careat firmitatem. Iudaei uero si christiana mancipia ad iudaismum uocare presumserint aut grauibus tormentis adflixerint, ipsa mancipia fisci ditionibus reformentur. Qui tamen iudaei ad nullas actiones publicas admittantur. Iudaeorum uero conuiuia penitus refutanda.

14. Si quis clericus de ciuitate sua aut prouincia ad alias uoluerit prouincias aut alias pergere ciuitates, pon-

---

1. Benoît le Lévite, qui reproduit ce canon (II, 409), donne *fateantur* et non *feriatur*.

2. Le c. 9 du « concile de Reims » (MAASSEN, p. 204) dit plus exactement : *non uiolentiae resistens*, « non pas en se défendant contre la violence ».

3. *Iudaeorum uero conuiuia penitus refutanda* : tel est le texte du ms. unique (*Monac. lat. 5508*). Sous cette forme, l'interdiction rejoint celles

reconnu [1] ledit forfait par leur séparation et leur pénitence.

11. Si quelqu'un commet volontairement un homicide
et tue, non pas en se défendant par la violence [2], mais
en faisant lui-même violence, il ne faut plus avoir aucun
rapport avec lui, à cela près que, s'il fait pénitence, la
communion en viatique ne lui sera pas refusée à sa mort.

12. Que les clercs ou les séculiers qui se permettent de
retenir les libéralités de leurs parents faites par donation
ou par testament, ou qui prétendent enlever à l'église ou
aux monastères ce qu'eux-mêmes ont donné, soient,
comme le saint concile l'a établi, exclus des églises,
comme assassins des pauvres, jusqu'à ce qu'ils restituent.

13. Que des chrétiens ne soient pas vendus à des juifs
et à des païens. Et si un chrétien, forcé par la nécessité,
décide de vendre ses esclaves chrétiens, qu'il ne les cède
à personne d'autre qu'à des chrétiens. Et s'il les vend à
des païens ou à des juifs, qu'il soit privé de la communion
et que la vente soit annulée. Si d'autre part des juifs
osent inviter des esclaves chrétiens à passer au judaïsme
ou les accablent de sévères tourments, que ces esclaves
soient attribués au fisc. Que les juifs d'autre part ne
soient admis à nul acte public. Quant aux repas avec des
juifs, il faut absolument les refuser [3].

14. Si un clerc veut se rendre, de sa cité ou de sa
province, en d'autres provinces ou d'autres cités, qu'il
soit recommandé par des lettres de son pontife ; car s'il

formulées au c. 15 du concile d'Épaone, au c. 6 du concile de Clermont,
etc. Mais le mot *refutanda* fait difficulté. Ne faut-il pas lire avec le c. 11
du « concile de Reims » (Maassen, p. 204) : *conuicia in christianos
penitus refutanda,* « il faut être en mesure de réfuter radicalement les
critiques injurieuses des juifs contre les chrétiens » ?

tificis sui epistolis commendetur, quia, si sine epistolis profectus fuerit manifestis, nullo modo recipiatur.

15. Casellas uero aut mancipiola ecclesiae episcopi, sicut prisca canonum precepit auctoritas, uel quascumque res ad ius ecclesiae pertinentes neque uendere neque per quoscumque contractus, unde pauperes uiuunt, post mortem alienare presumant.

16. Comperimus ita a christianis auguria obseruari, ut simili paganorum scelere conparetur. Sunt etiam nonnulli, qui cum paganis comedunt cibos ; sed hos benigne placuit admonitione suaderi, ut ab erroribus pristinis reuocentur. Quod si neglexerint et idolatriis uel immolantibus se miscuerint, paenitentiae tempus exsoluant.

17. Vt serui et uiles personae ad accusationem non admittantur. Qui personam susceperit accusantem, cum unum crimen non adprobauerit, ad alium accusandum non permittatur.

18. Si quis in quolibet gradu uel cingulo constitutus aut potestate suffultus decedente episcopo res cuiuslibet conditionis in domus uel agros ecclesiae positas ante reserationem testamenti uel audientiam ausus fuerit occupare uel repagula effringere ecclesiae et supellectilem infra domus ecclesiae positam contingere uel scrutare presumpserit, a communione abdicatur.

19. Si quis ingenuum aut libertum ad seruitium inclinare uoluerit et fortasse iam fecit et commonitus ab

1. Voir le c. 7 du concile d'Agde et les c. 7, 12 et 17 du concile d'Épaone.

part sans des lettres explicites, il ne sera reçu en aucune façon.

15. Que les évêques, comme l'a prescrit l'ancienne autorité des canons, ne se permettent ni de vendre des maisons ou des esclaves de l'église, ou quoi que ce soit qui appartient à l'église, ni de disposer, par n'importe quel contrat, pour après leur mort, de ce dont vivent les pauvres [1].

16. Nous avons appris que les chrétiens consultent les augures, ce qui est comparable au crime des païens. Il y en a aussi qui prennent leur nourriture avec les païens. Ceux-là, il a été décidé de les persuader, par un avertissement bienveillant, de revenir de leurs anciennes erreurs. Mais s'ils n'en tiennent pas compte et se mêlent aux idolâtres et aux sacrificateurs, qu'ils s'acquittent d'un temps de pénitence.

17. Que les esclaves et les gens de basse condition ne soient pas admis à porter des accusations. Que celui qui assume le rôle d'accusateur, s'il n'a pas fourni de preuves pour un premier crime, ne soit pas admis à porter une autre accusation.

18. Si quelqu'un, quelque soit son grade, sa fonction ou son autorité, ose, à la mort d'un évêque, s'emparer de n'importe quels objets se trouvant dans sa maison ou dans les champs de l'église, avant l'ouverture du testament ou un jugement, ou s'il se permet de briser les clôtures de l'église et de toucher au mobilier se trouvant dans la maison de l'église, ou de l'inventorier, qu'il soit rejeté de la communion.

19. Si quelqu'un voulait réduire en servitude un homme libre ou un affranchi — et peut-être l'a-t-il déjà

episcopo se de inquietudine eius reuocare neglexerit aut
emendare noluerit, tamquam calumniae reum placuit sequestrari.

20. Clerici cuiuslibet ordinis neque pro propriis neque
pro ecclesiasticis causis aliter adire non debeant in foro
nec causas dicere audeant, nisi quas cum permissu et
consilio episcopi eis fuerit omnino permissum.

21. Vt in parrociis nullus laicorum archipresbyter pre-
ponatur, sed, qui senior in ipsa parrocia esse debet,
clericus ordinetur.

22. Pontifices uero, quibus in summo sacerdotio
constitutis ab extraneis dumtaxat aliquid aut cum ecclesia
aut sequestratim aut dimittitur aut donatur, quia ille, qui
donat, pro remedium animae suae, non pro quommoda
sacerdotis probatur offerre, non quasi suum proprium,
sed quasi dimissum ecclesiae inter facultates ecclesiae
conputabunt, quia iustum est, ut, sicut sacerdos habet,
quod ecclesiae dimissum est, ita ecclesia habeat, quod
reliquit sacerdos.

23. Sane quicquid per fideicommissum aut sacerdotis
nomini aut ecclesiae fortasse dimittitur cuicumque alii
postmodum futurum, id inter facultates suas ecclesia
conputare aut retentare non poterit.

24. Si quis episcopus res, quae ab alia ecclesia presen-
tialiter possidentur, quocumque ingenio aut callida cupiditate peruaserit et sine audientia presumpserit usurpare
ac suis uel ecclesiae suae ditionibus reuocare, diu commu-

---

1. Voir le c. 6 du concile d'Agde, qui dit plus logiquement : « Que
l'église jouisse de ce qui a été laissé à l'évêque » *(quod relinquitur
sacerdoti).*

fait —, et que, une fois admonesté par l'évêque, il omet de renoncer à sa persécution ou refuse de se corriger, il a été décidé qu'il soit écarté pour crime de calomnie.

20. Que les clercs de tout degré d'ordre ne saisissent le tribunal ni pour leurs propres affaires ni pour celles de l'église, et qu'ils n'aient pas l'audace d'y plaider, excepté dans les cas où ils auront l'entière permission et autorisation de l'évêque.

21. Que dans les paroisses aucun laïque ne soit promu archiprêtre ; mais que celui qui doit être le notable (*senior*) dans telle paroisse soit ordonné clerc.

22. Ce qui est légué ou donné, du moins par des étrangers, aux pontifes occupant le plus haut rang du sacerdoce — que ce l'ait été en même temps qu'à l'église ou à eux en particulier —, étant donné que le donateur l'offre évidemment pour le repos de son âme et non pour le profit de l'évêque, ils le considéreront non comme leur bien propre, mais comme un legs fait à l'église, pour être joint aux ressources de l'église ; il est juste en effet que, de même que l'évêque jouit de ce qui est légué à l'église, ainsi aussi l'église jouisse de ce qu'a laissé l'évêque [1].

23. Bien entendu, ce qui peut avoir été laissé par fidéicommis au nom de l'évêque ou de l'église, pour profiter plus tard à quelqu'un d'autre, l'église ne pourra pas le compter au nombre de ses biens ni le retenir.

24. Si un évêque s'empare, par quelque manœuvre ou ruse cupide, de biens actuellement en possession d'une autre église, et s'il se permet de les occuper sans jugement et de les annexer à ses propriétés ou à celles de son

nione priuatus ut necator pauperum, ab officium deponatur.

25. Si quis episcopus, excepto si euenerit ardua necessitas pro redemtione captiuorum, ministeria sancta frangere pro qualecumque conditione presumpserit, biennio ab officio cessabit ecclesiae.

26. Viduas, quae se Deo consecrare petierint, uel puellas Domino consecratas nullus neque per auctoritatem regiam neque per quamcumque potestatem suffultus aut propria temeritate rapere uel trahere audeat. Quod si utrique consenserint, communione priuentur.

27. Iudices qui super auctoritatem et edictum dominicum canonum statuta contemnunt uel edictum illum dominicum, qui Parisius factum est, uiolant, si admoniti emendare contemserint, placuit eos communione priuari.

28. Vt decedente episcopo in loco eius non alius subrogetur nisi loci illius indigena, quem uniuersalis totius populi elegerit uotus ac conprouincialium uoluntas adsenserit. Aliter qui presumpserit, abiciatur a sede, quam inuasit potius quam accepit. Ordinatores autem ab officio administrationis suae sedis cessare decernimus.

Ex ciuitate Lugduno Treticus episcopus.
Ex ciuitate Biturecas Sulpicius episcopus.
Ex ciuitate Vienna Landolenus episcopus.
Ex ciuitate Senonus Mederius episcopus.
Ex ciuitate Toronus Medigisilus episcopus.

---

1. Dans le texte parallèle de FLODOARD (« concile de Reims »), l'évêque de Vienne est nommé *Sindulfus*. Il s'agit bien du même personnage sous 2 noms différents. Cf. DUCHESNE, *Fastes*, I, p. 208.

église, qu'il soit pour longtemps privé de la communion, comme assassin des pauvres, et déposé de sa charge.

25. Si un évêque, sauf le cas d'urgente nécessité pour le rachat des captifs, se permet de mettre en pièces les vases sacrés (*ministeria*) pour n'importe quelle raison, qu'il soit suspendu de sa charge dans l'église durant deux ans.

26. Que personne, se prévalant de l'autorité royale ou d'un pouvoir quelconque, ou par sa propre témérité, n'ose ravir ou entraîner les veuves qui ont demandé de se consacrer à Dieu, ni les jeunes filles consacrées au Seigneur. Dans le cas où l'un et l'autre étaient consentants, qu'ils soient privés de la communion.

27. Quant aux juges qui méprisent les statuts canoniques confirmés par autorité et édit royal, ou qui violent l'édit royal qui fut fait à Paris, si, après avertissement, ils ne daignent pas se corriger, il a été décidé qu'ils seront privés de la communion.

28. Qu'à la mort d'un évêque, aucun autre ne soit substitué à sa place, si ce n'est quelqu'un originaire du lieu, qui a été élu par le vœu de tout l'ensemble du peuple et accepté par les autres évêques de la province. Que celui qui se le permettrait dans d'autres conditions soit chassé du siège qu'il a plutôt usurpé que reçu. Et nous décrétons que ceux qui l'ordonneraient seront suspendus de l'administration de leur siège.

De la cité de Lyon, l'évêque Tetricus.
De la cité de Bourges, l'évêque Sulpice.
De la cité de Vienne, l'évêque Landolenus [1].
De la cité de Sens, l'évêque Mederius.
De la cité de Tours, l'évêque Medigisilus.

Ex ciuitate Remus Sonnacius episcopus.

Ex ciuitate Elosa Senotus episcopus.

Ex ciuitate Aginno Asodoaldus episcopus.

Ex ciuitate Visontione Donans episcopus.

Ex ciuitate Lauduno Hainoaldus episcopus.

Ex ciuitate Treuerus Anastasius episcopus.

Ex ciuitate Boiocas Regnoberhtus episcopus.

Ex ciuitate Cennomannis Haidoindus episcopus.

Ex ciuitate Andecauis Magnobodus episcopus.

Ex ciuitate Namnetis Leobardus episcopus.

Ex ciuitate Rotenus Verus episcopus.

Ex ciuitate Aruernus Cesarius episcopus.

Ex ciuitate Gabalus Agricula episcopus.

Ex ciuitate Cadurcus Rusticus episcopus.

Ex ciuitate Auscius Audericus episcopus.

Ex ciuitate Carnodas Berhtigisilus episcopus.

Ex ciuitate Altisiodoro Balladius episcopus.

Ex ciuitate Neuerno Raurecus episcopus.

Ex ciuitate Egulisma Nammacius episcopus.

Ex ciuitate Abrincatis Hildoaldus episcopus.

Ex ciuitate Catalaunis Felix episcopus.

Ex ciuitate Parisius Leodoberhtus episcopus.

Ex ciuitate Sanctonis Leoncius episcopus.

Ex ciuitate Austituno Babo episcopus.

Ex ciuitate Tolosa Vuilligisilus episcopus.

Ex ciuitate Pectauis Iohannis episcopus.

Ex ciuitate Nouiomago Aigahardus episcopus.

Ex ciuitate Meldus Gundoaldus episcopus.

Ex ciuitate Sessionis Ansaricus episcopus.

Ex ciuitate Viridono Godo episcopus.

Ex ciuitate Siluanectis Aigomaris episcopus.

Ex ciuitate Albie Constantius episcopus.

---

1. *Donatus* dans la liste de FLODOARD, — Voir le concile de Châlon.

2. Dans le texte parallèle de FLODOARD, l'évêque de Trèves est appelé *Modoaldus*. Comme l'indique DUCHESNE (*Fastes*, III, p. 38-39),

De la cité de Reims, l'évêque Sunnacius.

De la cité d'Eauze, l'évêque Senotus.

De la cité d'Agen, l'évêque Asodoaldus.

De la cité de Besançon, l'évêque Donans[1].

De la cité de Laon, l'évêque Hainoaldus.

De la cité de Trèves, l'évêque Anastasius[2].

De la cité de Bayeux, l'évêque Regnoberhtus.

De la cité du Mans, l'évêque Haidoindus.

De la cité d'Angers, l'évêque Magnobodus.

De la cité de Nantes, l'évêque Leobardus.

De la cité de Rodez, l'évêque Verus.

De la cité d'*Arverna*, l'évêque Césaire.

De la cité de Javols, l'évêque Agricola.

De la cité de Cahors, l'évêque Rusticus.

De la cité d'Auch, l'évêque Audericus.

De la cité de Chartres, l'évêque Berhtigisilus.

De la cité d'Auxerre, l'évêque Balladius.

De la cité de Nevers, l'évêque Raurecus.

De la cité d'Angoulême, l'évêque Nammacius.

De la cité d'Avranches, l'évêque Hildoaldus.

De la cité de Châlons, l'évêque Felix.

De la cité de Paris, l'évêque Leodoberhtus.

De la cité de Saintes, l'évêque Léonce.

De la cité d'Autun, l'évêque Babo.

De la cité de Toulouse, l'évêque Vuilligisilus.

De la cité de Poitiers, l'évêque Jean.

De la cité de Noyon, l'évêque Aigahardus.

De la cité de Meaux, l'évêque Gundoaldus.

De la cité de Soissons, l'évêque Ansericus.

De la cité de Verdun, l'évêque Godo.

De la cité de Senlis, l'évêque Aigomaris.

De la cité d'Albi, l'évêque Constance.

il doit y avoir confusion. A moins que ce ne soit un cas de « dionymie »,
comme pour l'évêque de Vienne ci-dessus.

Ex ciuitate Mettis Arnulfus episcopus.
Ex ciuitate Colonia Honoberhtus episcopus.
Ex ciuitate Lingonis Modoaldus episcopus.
Ex ciuitate Aurilianus Audo abbas.
Ex ciuitate Burdegala Samuhel diaconus.

Factum concilium sub die V. kal. Octobris, anno XLIII. regis domni nostri Hlothari Deo propitio regi. Amen.

---

1. La liste donnée par FLODOARD pour le « concile de Reims » diffère de celle-ci, en plus de quelques variantes (cf. DUCHESNE, *Fastes*, III, p. 38, n. 8), par 3 omissions (Agen, Nevers et Noyon, plus les

De la cité de Metz, l'évêque Arnulfus.
De la cité de Cologne, l'évêque Honoberhtus.
De la cité de Langres, l'évêque Modoaldus.
De la cité d'Orléans, l'abbé Audo.
De la cité de Bordeaux, le diacre Samuhel[1].

Le concile s'est tenu le 5e jour des calendes d'octobre, en la 43e année de notre seigneur le roi Clotaire, avec la grâce de Dieu pour le roi. Amen.

2 délégués), et 4 additions : *Claudius* de Riez, *Bertoaldus* de Cambrai, *Lupoaldus* de Mayence, *Emmo Aresetensis* (?).

CONCILE DE CHALON [1]
(24 octobre 647-653)

Sous le règne de Clovis II, roi de Neustrie (639-657), le tuteur du roi, Aega, convoqua un concile des évêques du royaume. L'assemblée, qui se tint en la cathédrale Saint-Vincent de Chalon-sur-Saône, réunit six métropolitains (Lyon, Vienne, Rouen, Sens, Bourges, Besançon), un abbé délégué par le métropolitain de Tours, trente-trois évêques, un archidiacre, quatre abbés délégués par leur évêque [2].

Le concile promulgua vingt canons, dont plusieurs se réfèrent au droit antérieur (c. 2, 3, 7, 13, 14, 17, 18). Le canon 20 prononce la déposition de deux évêques.

Le concile adressa une lettre au métropolitain d'Arles, Theudorius, qui n'était pas venu à l'assemblée, et le suspendit de ses fonctions. Cette lettre fait connaître le jour de tenue du concile (8ᵉ jour des calendes de novembre = 24 octobre). Les souscriptions des prélats permettent de fixer le *terminus a quo*, 647 (année ou Vulfoleudus accède au siège métropolitain de Bourges), et le *terminus ad quem*, 653 (en 654, Lyon et Vienne ont d'autres titulaires).

---

1. Cf. HEFELE-LECLERCQ, III¹, p. 281-285 ; DE CLERCQ, *Législation*, p. 67-70.
2. Tous les évêques de la province de Lyon sont présents. Pour celle de Sens, il ne manque que l'évêque austrasien de Meaux. Mais le métropolitain de Bourges n'est accompagné que du délégué de l'évêque de Limoges, et la province de Tours a envoyé seulement 4 évêques. 8 évêques de la province d'Arles — dont le métropolitain est absent — ont souscrit les actes du concile.

TRANSMISSION : Les canons du concile sont conservées par les collections de Saint-Amand et de Saint-Maur.

DESTINÉE ULTÉRIEURE : Les canons du concile sont repris dans la collection de Beauvais. Ils n'ont pas été utilisés par Burchard de Worms, Yves de Chartres, ou Gratien.

CONCILIVM CABILONENSE
647-653. Oct. 24.

INCIPIVNT CANONES CABILLONENSIVM

Priscis quidem canonibus noscitur institutum, ut metropolitani cum eorum cumprouincialibus per singulos annos debeant in sinodali coniungi Deo propitiante concilio ; sed nunc tam ex commune omnium uoluntate, quam ex euocatione uel ordinatione gloriosissimi domni Chlodouei regis pro zelo religionis uel ortodoxae fidei dilectione in Cabillonense urbe in ecclesia sancti Vincenti pariter conglobati ipsius sancti martiris intercessionem poscentes, ut pro longeuitate supra dicti principis suo suffragio mereremur et inspiratione diuina, quod de canonibus interueniente segnitia fuerat aliquid pretermissum uel per neglegentiam aut per ignorantiam uitiatum, in pristinum statum, sicut dudum fuerat a sanctis patribus statutum, deberet auxiliante Domino Christo reformari :

1. Ita omnes una conspiratione et conniuente animo sentientes definiuimus, ut fidei normam, sicut in Niceno concilio pia est professione firmata uel a sanctis patribus tradita atque ab ipsis exposita uel in postmodum a sancto est Calcidonense concilio firmata, in omnibus et ab omnibus conseruetur.

2. Canonum uero statuta ab omnibus intemerata seruentur.

3. Licet iam prioribus canonibus fuerat statutum, sed tamen placuit renouare, ut, si quis episcopus, presbyter

CONCILE DE CHALON
24 octobre 647-653

ICI COMMENCENT LES CANONS DE CHALON

Il a été établi, on le sait, par les anciens canons que les métropolitains doivent, avec l'aide de Dieu, se rassembler chaque année avec leurs comprovinciaux en une assemblée synodale. Or à présent, c'est à la fois par la volonté commune de tous et par la convocation et le commandement de notre très glorieux seigneur le roi Clovis que, par zèle pour la religion et par amour de la foi orthodoxe, nous sommes réunis ensemble en la ville de Chalon, en l'église de saint Vincent, implorant l'intercession de ce saint martyr pour que nous méritions par son suffrage une longue vie au susdit prince, et que, sous l'inspiration divine, tout ce qui, dans les canons, avait été omis par l'effet de l'insouciance ou vicié du fait de la négligence ou de l'ignorance soit rétabli, avec l'aide du Christ notre Seigneur, tel qu'il avait été fixé autrefois par les saints Pères.

1. Ainsi, tous, d'une commune inspiration et d'un sentiment unanime, nous avons statué que la règle de foi, telle qu'elle a été définie et religieusement professée au concile de Nicée, transmise par les saints Pères et expliquée par eux, et par la suite confirmée par le saint concile de Chalcédoine, soit conservée en tous points et par tous.

2. Quant aux statuts des canons, qu'ils soient observés inviolablement par tous.

3. Bien que ce point ait déjà été fixé par les canons antérieurs, il a pourtant paru bon de le réitérer, à savoir

aut diaconus uel quicumque ex sacerdotale catalogo praeter personas, quae in ipsis canonibus continentur, cum
qualicumque extranea muliere familiaritatem habere praesumpserit, quae indecora uel adulterii possit afferre sus-
pitionem, iuxta statuta canonum ab ordine regradetur.

4. Vt duo in una ciuitate penitus uno tempore nec
ordinentur nec habeantur episcopi nec res ecclesiae saeua
diuisione debeant partiri.

5. Saeculares uero, qui necdum sunt ad clericatum
conuersi, res parrochiarum uel ipsas parrochias minime
ad regendum debeant habere commissas.

6. Vt nullus ante audientiam res quarumlibet ecclesiarum inuadere aut auferre praesumat. Quod qui fecerit,
ut necator pauperum habeatur.

7. Vt defuncto presbytero uel abbate nihil ab episcopo
auferatur uel archidiacono uel a quemcumque de rebus
parrochiae, exenodotiae uel monasterii aliquid debeat
minuere. Quod qui fecerit, iuxta statuta canonum debeat
coherceri.

8. De poenitentia uero peccatorum, quae est medella
animae, utilem omnibus hominibus esse censemus ; et ut
poenitentibus a sacerdotibus data confessione indicatur
poenitentia, uniuersitas sacerdotum noscitur consentire.

---

1. Voir le c. 8 du concile de Nicée (325) et le c. 3 du concile de
Paris V.

2. Disposition qui rejoint le c. 11 du concile de Paris V.

3. Cf. VOGEL, *La discipline pénitentielle en Gaule,* p. 195-196, qui
rapproche ce canon du c. 12 du concile d'Angers (453). Il n'est pas
question ici de « pénitence tarifée ».

que, si un évêque, un prêtre, un diacre, ou quiconque figure sur la liste sacerdotale, se permet — mises à part les personnes indiquées par ces canons — d'entretenir avec n'importe quelle femme étrangère une familiarité qui puisse prêter au soupçon d'inconvenance ou d'adultère, il doit être, selon les statuts des canons, dégradé de son ordre.

4. Que jamais deux évêques ne soient, dans une même cité et en même temps, ordonnés ou en charge[1], et que jamais les biens de l'église ne soient divisés par un funeste partage.

5. Des laïques qui n'ont pas encore changé de vie pour devenir clercs ne doivent aucunement se voir confier l'administration des biens des paroisses ni les paroisses elles-mêmes.

6. Que personne ne se permette, avant jugement, d'occuper ou de soustraire les biens de n'importe quelles églises. Que celui qui le ferait soit tenu pour assassin des pauvres[2].

7. Qu'à la mort d'un prêtre ou d'un abbé, rien ne soit enlevé par l'évêque ou l'archidiacre, et que rien des biens de la paroisse, de l'hospice ou du monastère ne soit amoindri par qui que ce soit. Que celui qui le ferait soit puni selon les statuts des canons.

8. Quant à la pénitence pour les péchés, qui est le remède de l'âme, nous l'estimons utile à tous les hommes, et, de l'avis unanime des évêques, une pénitence doit être imposée aux pénitents par les évêques, une fois leur confession reçue[3].

9. Pietatis est maximae et religionis intuitus, ut a captiuitatis uinculo animae a christicolis redimantur. Vnde sancta synodus noscitur censuisse, ut nullus mancipium extra finibus uel terminibus, qui ad regnum domni Chlodouei regis pertinent, penitus non debeat uenundare, ne, quod absit, per tale commercium aut captiuitatis uinculo uel, quod peius est, iudaica seruitute mancipia christiana teneantur inplicita.

10. Si quis episcopus de quacumque fuerit ciuitate defunctus, non ab alio nisi comprouincialibus, clero et ciuibus suis habeatur electio ; sin aliter, huiusmodi ordinatio irrita habeatur.

11. Peruenit ad sanctam synodum, quod iudices publici contra ueternam consuetudinem per omnes parrochias uel monasteria, quas mos est episcopis circuire, ipsi inlicita praesumptione uideantur discurrere, etiam et clericos uel abbates, ut eis praeparent, inuitos atque districtos ante se faciant exhiberi, quod omnimodis nec religione conuenit nec canonum permittit auctoritas. Vnde omnes unianimiter censuimus sentientes, ut deinceps debeant emendare et, si praesumptione uel potestate, qua pollent, excepta inuitatione abbatis aut archipresbyteri in ipsa monasteria uel parrochias aliquid fortasse praesumpserint, a communione omnium sacerdotum eos conuenit sequestrare.

12. Vt duo abbates in uno monasterio esse non debeant, ne sub obtentu potestatis simultas inter monachos et scandalum non generetur ; uerum tamen si quislibet abba sibi elegerit successorem, ipse, qui eligitur, de fa-

---

1. Le c. 9 du concile d'Épaone (517) interdisait qu'un même abbé fût à la tête de 2 monastères.

9. C'est une intention tout à fait miséricordieuse et religieuse de la part des chrétiens que de retirer les âmes des liens de la captivité. Aussi le saint synode a-t-il décidé que personne ne doit jamais vendre un esclave hors des limites ou frontières qui sont celles du royaume de notre seigneur le roi Clovis, de crainte — loin de là ! — que par un tel commerce des esclaves chrétiens ne se trouvent engagés dans les liens de la captivité ou, ce qui est pire, asservis à des juifs.

10. Si un évêque, à quelque cité qu'il appartienne, vient à mourir, que l'élection ne soit faite par personne d'autre que les comprovinciaux, le clergé et les citoyens ; au cas contraire, que pareille ordination soit tenue pour nulle.

11. Il est venu à la connaissance du saint synode que les juges civils, contrairement à la coutume invétérée, parcourent pour leur compte, avec une présomption indue, toutes les paroisses et les monastères que les évêques ont coutume de visiter, et qu'ils convoquent en leur présence les clercs et les abbés, contre leur gré et par contrainte, afin que ceux-ci leur préparent le nécessaire. Ceci n'est en aucune façon conforme à la religion ni permis par l'autorité des canons. Aussi avons-nous tous unanimement estimé et décidé qu'ils doivent s'amender, et que si, forts de leur audace ou du pouvoir dont ils jouissent, et sauf en cas d'invitation de la part de l'abbé ou de l'archiprêtre, ils viennent à se permettre quoi que ce soit contre ces monastères et paroisses, il y a lieu de les exclure de la communion de tous les évêques.

12. Qu'il n'y ait pas deux abbés dans le même monastère[1], de crainte qu'à propos de l'autorité la discorde et le scandale ne naissent entre les moines. Que d'autre part, si un abbé se choisit un successeur, l'élu

cultatis ipsius monasterii ad regendum nullam habeat potestatem.

13. Vt nullus alterius clericum retinere non praesumat, sicut priscis est canonibus statutum, nec ad sacrum ordinem sine uoluntate episcopi sui penitus promouere.

14. De oratoriis, quae per uillas fiunt. Nonnulli ex fratribus et coepiscopis nostris resedentibus nobis in sancta sinodo in querimonia detulerunt, quod oratoria per uillas potentum iam longo constructa tempore et facultates ibidem collatas ipsi, quorum uillae sunt, episcopis contradicant et iam nec ipsos clericos, qui ad ipsa oratoria deseruiunt, ab archidiacono coherceri permittant. Quod conuenit emendare, ita dumtaxat ut in potestate sit episcopi et de ordinatione clericorum et de facultate ibidem collata, qualiter ad ipsa oratoria et officium diuinum possit inpleri et sacra libamina consecrari. Quod qui contradixerit, iuxta priscos canones a communione priuetur.

15. Vt abbates uel monachi aut agentes monasteriorum patrocinia secularia penitus non utantur nec ad principis presentiam sine episcopi sui permissu ambulare non audeant. Quod si fecerint, a suis episcopis excommunicentur.

16. Vt nullus episcopus neque presbyter uel abba seu diaconus per praemium ad sacrum ordinem amodo penitus non accedat. Quod qui fecerit, ab ipso honore, quem praemiis comparare praesumpserit, omnino priuetur.

1. Voir le c. 7 du concile d'Arles V.
2. Voir le c. 11 du concile d'Orléans III.

n'ait aucune autorité dans l'administration des biens de ce monastère.

13. Qu'aucun évêque ne se permette de retenir le clerc d'un autre, ainsi que l'ont stipulé les anciens canons, ni de le promouvoir aucunement aux ordres sacrés sans l'accord de son évêque[1].

14. Sur les oratoires établis dans les domaines (*uillae*). Quelques-uns de nos frères dans l'épiscopat siégeant avec nous au saint synode ont présenté une plainte touchant les oratoires fondés depuis longtemps dans les domaines des grands et les ressources qui y sont attachées, à savoir que les propriétaires des domaines en refusent le contrôle aux évêques et ne permettent même pas que les clercs qui desservent ces oratoires soient sanctionnés par l'archidiacre. Il convient d'y remédier de telle sorte qu'il appartienne à l'évêque, soit à propos de l'ordination des clercs, soit à propos des ressources du lieu, de déterminer comment, dans ces oratoires, l'office divin peut être assuré et le saint sacrifice célébré. Que celui qui irait à l'encontre de ces dispositions soit, conformément aux anciens canons, privé de la communion.

15. Que les abbés, les moines ou les agents des monastères ne recourent aucunement aux patronages laïques ni ne se permettent de se rendre auprès du prince sans la permission de leur évêque. Que ceux qui le feraient soient excommuniés par leurs évêques[2].

16. Qu'aucun évêque, ni prêtre, ni abbé, ni diacre n'accède plus jamais aux ordres sacrés en usant de présents. Que celui qui le ferait soit totalement privé de la dignité qu'il a osé acheter par des présents[3].

3. Voir le c. 10 du concile d'Orléans V et le c. 28 du concile de Tours.

17. Et quia multa per presumptionem proueniunt, quae Deo minus placita et sacris canonibus uidentur esse contraria, quae a sacerdotibus necesse est quoerceri, ita sancta synodus instituit, ut nullus secularium nec in ecclesia nec infra atrium ipsius ecclesiae qualecumque scandalum aut simultates penitus excitare non presumat nec arma trahere aut quemcumque ad uulnerandum uel interficiendum penitus appetere. Quod si quis fortasse praesumpserit, ab episcopo loci illius, ubi factum fuerit, ipse iuxta statuta canonum communione priuetur.

18. Licet generaliter ab omnibus catholicis uel Deum timentibus de die dominico, quod est prima sabbati, conuenit obseruare et, sicut in superioribus canonibus est statutum, non aliquid noui condentes, sed uetera renouantes instituimus, ut in ipso dominico ruralia opera, id est arare, secare, messes metire, exartus facere uel quicquid ad ruris culturam pertinet facere, nullus penitus non presumat. Quod qui inuentus fuerit faciens, sub disciplina districtionis omnimodis corrigatur.

19. Multa quidem eueniunt et, dum leuia minime corriguntur, saepius maiora consurgunt. Valde omnibus noscitur esse decretum, ne per dedicationes basilicarum aut festiuitates martyrum ad ipsa solemnia confluentes obscena et turpia cantica, dum orare debent aut clericos psallentes audire, cum choris foemineis, turpia quidem, decantare uideantur. Vnde conuenit, ut sacerdotes loci illos a septa basilicarum uel porticos ipsarum basilicarum etiam et ab ipsis atriis uetare debeant et arcere et, si

---

1. Voir le c. 31 du concile d'Orléans III, le c. 16 du concile de Mâcon II et le c. 16 du synode d'Auxerre.

2. MAASSEN (p. 212, 1. 36-37) considère les mots *turpia quidem* comme une glose.

17. Et puisque se produisent, par l'effet de la présomption, bien des incidents qui déplaisent à Dieu et sont contraires aux saints canons, que les évêques ont l'obligation de réprimer, le saint synode a prescrit qu'aucun laïque ne se permette, ni à l'église, ni sur le parvis de l'église, de susciter aucune espèce de scandale ou de querelle, ni de brandir des armes, ni d'attaquer personne pour le blesser ou le tuer. Que celui qui viendrait à se le permettre soit, conformément aux statuts canoniques, privé de la communion par l'évêque du lieu où cela s'est passé.

18. Bien que l'obligation soit générale pour tous les catholiques et craignant Dieu d'observer le jour du Seigneur, le premier de la semaine, nous avons statué, conformément aux prescriptions des anciens canons[1], sans établir aucune règle nouvelle, mais en renouvelant les anciennes, que personne, le dimanche, ne doit se permettre aucune activité rurale, c'est-à-dire de labourer, de faucher, de moissonner, d'essarter, ou de rien faire de ce qui se rapporte à la culture. Que celui qu'on verrait s'y adonner soit corrigé par toute espèce de sanction disciplinaire.

19. Bien des abus se produisent qui, s'ils ne sont pas corrigés tandis qu'ils sont légers, deviennent bien souvent fort graves. Il est bien connu de tous qu'il est interdit que durant les dédicaces des basiliques ou les fêtes des martyrs, les gens qui affluent à ces célébrations chantent des chansons obscènes et honteuses[2], accompagnées de chœurs féminins, alors qu'ils devraient prier ou écouter les clercs qui psalmodient. Aussi convient-il que les évêques du lieu les écartent et les chassent de l'enceinte des basiliques ou de leurs portiques, et même de leurs parvis, et que, s'ils refusent de se corriger de leur plein

uoluntarie noluerint emendare, aut excommunicari debeant aut disciplinae aculeum sustinere.

20. Agapium uero et Bobonem Diniensis urbis episcopos pro eo, quod ipsos contra statuta canonum in
multis conditionibus errasse uel deliquisse cognouimus,
ipsos iuxta ipso tenore canonum ab omni episcopatus
eorum ordine decreuimus regradare.

Candericus episcopus ecclesiae Lugdunensis his constitutionibus subscripsi.

Landalenus ecclesiae Vienensis his constitutionibus
subscripsi.

Audinus episcopus ecclesie Rotomensis his constitutionibus subscripsi.

Armentarius episcopus ecclesiae Soenonice his constitutionibus subscripsi.

Bituriue Vulfoleudus episcopus ecclesie his constitutionibus subscripsi.

Donatus episcopus ecclesie Vesoncensis his constitutionibus subscripsi.

Rauracus episcopus ecclesie Niuernis subscripsi.

Deodatus episcopus ecclesie Materconensis subscripsi.

Pappolus episcopus ecclesie Genuense subscripsi.

Palladius episcopus ecclesiae Autisioderensis subscripsi.

Feriolus episcopus ecclesie Agustodinensis subscripsi.

Bertoaldus episcopus ecclesie Lingonice subscripsi.

Audo episcopus ecclesie Aurilianensis subscripsi.

Malardus episcopus ecclesie Carnotine subscripsi.

Leusus episcopus ecclesie Trecasine subscripsi.

Aurilianus episcopus ecclesie Vencensis subscripsi.

Baudomeris episcopus ecclesie Tarantasensis subscripsi.

Protasius episcopus ecclesie Sidonensis subscripsi.

---

1. DE CLERCQ note que l'un des deux était sans doute le successeur
désigné de l'autre.

gré, ou bien ils soient excommuniés, ou bien ils éprouvent l'aiguillon de la discipline.

20. D'autre part, étant donné que nous savons qu'Agapius et Bobo, évêques de la ville de Digne[1], ont, en de multiples circonstances, commis des erreurs et des fautes à l'encontre des statuts canoniques, nous avons décidé qu'ils soient, selon la lettre des canons, dégradés de tous les honneurs de leur épiscopat.

Candericus, évêque de l'église de Lyon, j'ai souscrit aux présentes constitutions.

Landolanus, évêque de l'église de Vienne, j'ai souscrit aux présentes constitutions.

Audinus, évêque de l'église de Rouen, j'ai souscrit aux présentes constitutions.

Armentarius, évêque de l'église de Sens, j'ai souscrit aux présentes constitutions.

Vulfoleudus, évêque de l'église de Bourges, j'ai souscrit aux présentes constitutions.

Donatus, évêque de l'église de Besançon, j'ai souscrit aux présentes constitutions.

Rauracus, évêque de l'église de Nevers, j'ai souscrit.

Deodatus, évêque de l'église de Mâcon, j'ai souscrit.

Pappolus, évêque de l'église de Genève, j'ai souscrit.

Palladius, évêque de l'église d'Auxerre, j'ai souscrit.

Feriolus, évêque de l'église d'Autun, j'ai souscrit.

Bertoaldus, évêque de l'église de Langres, j'ai souscrit.

Audo, évêque de l'église d'Orléans, j'ai souscrit.

Malardus, évêque de l'église de Chartres, j'ai souscrit.

Leusus, évêque de l'église de Troyes, j'ai souscrit.

Aurélien, évêque de l'église de Vence, j'ai souscrit.

Baudomeris, évêque de l'église de Tarentaise, j'ai souscrit.

Protasius, évêque de l'église de Sion, j'ai souscrit.

Insildus episcopus ecclesie Valenciacensis subscripsi.

Clarus episcopus ecclesie Gracinopolitane subscripsi.

Gradus episcopus ecclesie Cabillonensis subscripsi.

Florentinus episcopus ecclesie Beliesensis subscripsi.

Aetherius episcopus ecclesie Ebredunensis subscripsi.

Magnus episcopus ecclesie.

Item Betto episcopus ecclesie Trecastininsis subscripsi.

Potentissimus episcopus ecclesie Vappensis subscripsi.

Arricus episcopus ecclesie Lausonicensis subscripsi.

Claudus episcopus ecclesie Regensis subscripsi.

Licerius episcopus ecclesie Vindauscensis subscripsi.

Petrunius episcopus ecclesie Vasiocensis subscripsi.

Bertofredus episcopus ecclesie Ambianensis subscripsi.

Elegius episcopus ecclesie Nouiomensis subscripsi.

Deocarius episcopus ecclesie Antepole subscripsi.

Leborius episcopus ecclesie Maurianinsis subscripsi.

Chairibonus episcopus ecclesie Constantine subscripsi.

Amlacarius episcopus ecclesie Saginsis subscripsi.

Launobodis episcopus ecclesie Lixogensis subscripsi.

Ragnericus episcopus ecclesie Ebriocensis subscripsi.

Betto episcopus ecclesie de Iuliabona subscripsi.

Betto abba ad uicem Latino episcopo ecclesiae Toronice subscripsi.

Chaddo archidiaconus in uicem Sallappio episcopo ecclesiae Namnatice subscripsi.

Germoaldus abba in uicem Audoberto episcopo ecclesiae Parasiace subscripsi.

Paternus abba in uicem Felice episcopo ecclesie Limouicine subscripsi.

Chagnoaldus abba in uicem Chadoaldo episcopo ecclesie Cinnomanice subscripsi.

Bertolfus abba ad uicem Riotero episcopo ecclesie Redonice subscripsi.

Insildus, évêque de l'église de Valence, j'ai souscrit.

Clarus, évêque de l'église de Grenoble, j'ai souscrit.

Gradus, évêque de l'église de Chalon, j'ai souscrit.

Florentinus, évêque de l'église de Belley, j'ai souscrit.

Aetherius, évêque de l'église d'Embrun, j'ai souscrit.

Magnus, évêque de l'église [d'Avignon].

De même Betto, évêque de l'église de Saint-Paul-Trois-Châteaux, j'ai souscrit.

Potentissimus, évêque de l'église de Gap, j'ai souscrit.

Arricus, évêque de l'église de Lausanne, j'ai souscrit.

Claudus, évêque de l'église de Riez, j'ai souscrit.

Licerius, évêque de l'église de Venasque, j'ai souscrit.

Petrunius, évêque de l'église de Vaison, j'ai souscrit.

Bertofredus, évêque de l'église d'Amiens, j'ai souscrit.

Elegius, évêque de l'église de Noyon, j'ai souscrit.

Deocarius, évêque de l'église d'Antibes, j'ai souscrit.

Leborius, évêque de l'église de Maurienne, j'ai souscrit.

Chairibonus, évêque de l'église de Coutances, j'ai souscrit.

Amlacarius, évêque de l'église de Séez, j'ai souscrit.

Launobodis, évêque de l'église de Lisieux, j'ai souscrit.

Ragnericus, évêque de l'église d'Évreux, j'ai souscrit.

Betto, évêque de l'église de Bayeux, j'ai souscrit.

Betto, abbé, au nom de Latinus, évêque de l'église de Tours, j'ai souscrit.

Chaddo, archidiacre, au nom de Salappius, évêque de l'église de Nantes, j'ai souscrit.

Germoaldus, abbé, au nom d'Audobertus, évêque de l'église de Paris, j'ai souscrit.

Paternus, abbé, au nom de Felix, évêque de l'église de Limoges, j'ai souscrit.

Chagnoaldus, abbé, au nom de Chadoaldus, évêque de l'église du Mans, j'ai souscrit.

Bertolfus, abbé, au nom de Rioterus, évêque de l'église de Rennes, j'ai souscrit.

Epistula synodi ad Theudorium Arelatensem episcopum

Domno semper peculiari suo Theudorio coetus episcoporum, qui nuper est in Cabillonno cum Christi gratia
adunatus.

Omnibus in ueredica relatione perpatuit, quod etiam
uos credimus non ignorasse, quod gloriosus domnus
Chlodoueus rex in supra scripta urbe Cabillonno octauo
kal. Nouembris sinodale precepit esse concilium. Vbi
omnes nos in basilica domni Vincenti pariter resedentes
uestrum aduentum, dum uos in propinquo, etiam in ipsa
urbe esse audiuimus, omnimodis prestolauimus. Datur
intellegi pro qua re uos in ipso concilio non uoluistis
adesse, dum multa aduersus uos et de indecente uita et
excessu canonum, quod maxime condolemus, prouulgata
narrantur. Nam et scripta, qualiter uos constitit penitentiam fuisse professus, uestra manu uidemus et
cumprouincialium uestrorum manibus roborata. Vnde
uos credimus etiam legisse nec nos paenitus ignoramus,
quod, qui publice penitentiam profitetur, episcopalem
cathedram nec tenere nec regere potest. Propterea salu-
tantes beatitudini uestrae honorifice indicamus, ut usque
ad alium sinodum de Arelatense sede, ubi uos constitit
pontificalem cathedram tenuisse, debeatis omnimodis abstinere nec de facultate ipsius ecclesiae nihil ad uestram
dominationem, dum in audientia ante fratres conueniatis,
penitus presumatis.

---

1. Sur l'incompatibilité de la pénitence publique avec la cléricature,
et à plus forte raison avec l'épiscopat, voir VOGEL, *La discipline
pénitentielle en Gaule,* p. 43 et 55-58.

Lettre du synode à l'évêque Theudorius d'Arles

A son seigneur toujours cher, Theudorius, l'assemblée des évêques qui vient de se réunir à Chalon avec la faveur du Christ.

Tous ont été bien informés par des courriers sûrs, et nous croyons que vous ne l'avez pas ignoré non plus, que notre glorieux seigneur le roi Clovis a prescrit qu'une assemblée conciliaire se tînt dans la susdite ville de Chalon le 8ᵉ jour des calendes de novembre. Siégeant tous ensemble dans la basilique de saint Vincent, nous avont tout à fait attendu votre venue, car nous avions appris que vous vous trouviez dans les environs, et même dans la ville. Il est facile de comprendre pour quelle raison vous n'avez pas voulu paraître à ce concile, étant donné que l'on raconte et publie bien des choses contre vous, soit à propos de votre vie choquante, soit à propos de vos entorses aux canons, ce qui nous cause une très grande peine. Et nous avons aussi sous les yeux, confirmé de votre main et de la main de vos comprovinciaux, l'écrit prouvant que vous avez fait profession de pénitence. Or nous croyons que vous avez lu, vous aussi, et nous-mêmes n'ignorons pas tout à fait, que quiconque a fait profession publique de pénitence ne peut ni occuper ni régir un siège épiscopal[1]. C'est pourquoi, tout en saluant votre Béatitude, nous lui signifions respectueusement que, jusqu'au prochain concile, vous ayez à vous abstenir de régir le siège d'Arles, dont, certes, vous avez occupé la chaire pontificale, et à ne vous attribuer en propre absolument rien des biens de cette église, jusqu'à ce que vous veniez en jugement devant vos frères.

CONCILE DE BORDEAUX [1]
(662-675) [2]

Childéric II, l'un des trois fils de Clovis II, devint roi d'Austrasie en 662. En 673, à la mort de son frère Clotaire III, il ajoute à ses domaines la Neustrie et la Bourgogne. Il meurt en 675.

Le concile de Bordeaux, réuni sur son ordre, se tint dans le *castrum* de *Modogarnomum*, ou plus exactement de *Garnomum* [3], à l'église Saint-Pierre, en présence du duc Loup, représentant du roi. Y assistèrent trois métropolitains, dont celui de Bourges, qui présida l'assemblée, treize évêques des provinces de Bourges, Bordeaux, Eauze, deux abbés délégués.

Tous les diocèses de la province de Bordeaux (sauf celui de Poitiers) et d'Eauze (sauf ceux de Dax et de Bigorre) sont représentés. Au contraire, le métropolitain

1. Cf. HEFELE-LECLERCQ, III[1], p. 298-300 ; DE CLERCQ, *Législation*, p. 70-71.

2. Ces dates sont celles de C. DE CLERCQ. E. Ewig a proposé avec plus de raison les années 673-675, qui sont aussi celles du concile de Losne (*Spätantike und fränkisches Gallien*, II, Munich 1979, p. 436, n. 35).

3. La bonne lecture, celle de BALUZE et PARDESSUS, est *modo Garnomo*. Il s'agit de Saint-Pierre-de-Granon, ancienne localité confinant à la ville de Marmande, comme l'a bien établi É. GRIFFE, « Où localiser le concile aquitain tenu en 674 *in castro Garnomo* ? », *Bull. de Litt. eccl.* 65 (1964), p. 49-52. D'autres localisations avaient été anciennement proposées : Langoiran, Loupiac, Castres-sur-Gironde. Voir HEFELE-LECLERCQ, III[1], p. 299, n. 1 ; voir aussi M. ROUCHE, *L'Aquitaine des Wisigoths aux Arabes*, Paris 1979, p. 100-102.

de Bourges n'est accompagné que de l'évêque de Cahors et des délégués d'Albi et de Limoges. Le concile concerne donc essentiellement l'Aquitaine.

Quatre canons y furent promulgués. Se référant au droit antérieur, ils entendent remédier à des abus récents.

TRANSMISSION : Les actes du concile de Bordeaux, déjà édités par PARDESSUS en 1849 d'après une copie de Baluze, ont été publiés par MAASSEN en 1867, en même temps que ceux du concile de Losne[4], d'après l'unique manuscrit, du IXe siècle, provenant du chapitre d'Albi (*Albi 147,* f. 181)[5].

Ils n'ont pas été utilisés par les collections médiévales.

4. J.M. PARDESSUS, *Diplomata,* II, Paris 1849, p. 8 (reproduit par *Histoire du Languedoc,* II, 1875, c. 40-42). — Fr. MAASSEN, *Zwei Synoden unter König Childeric II,* Gratz 1867.

5. Pour le texte latin du concile de Bordeaux, spécialement difficile et transmis par le seul ms. d'Albi, nous avons conservé l'orthographe de l'édition MAASSEN - DE CLERCQ.

CONCILIVM
MODOGARNOMENSE SEV BVRDEGALENSE
662-675.

INCIPIVNT CANONES BVRDIGALENSIS

In sanctae Trinitatis nomine. Cum in diocesim Burdigalense Modogarnomo castro super fluuio Garonna per iussorium gloriosi principis Childericis regis conuenissemus et ibidem in aecclesia sancti Petri apostoli cum prouinciales Acutanis pro statu aecclesiae uel stabilitatem regni fuissemus adunati ibique multa contraria contra statuta patrum ꭒel cannonica auctoritate inuenta sunt, eo quod clerici per contumacia propriis episcopis dispicerint et secularem abitum et adhuc, quod peius est, amplius quam secularis diuersa contraria agerent, ibidem decretum est secundum statuta patrum :

1. Vt abitum concessum clerici religiose habitare debeant et nec lanceas nec alia arma nec uestimenta secularia habere nec portare debeant, sed secundum quod scriptum est : « Non in gladium suum possidebunt terram et brachium eorum non liberabit eos, set dextera tua et brachium tuum et inluminatio uultus tui[a] », statutum est, ut, qui post hanc definitionem hoc agere aut adtemtare presumserit, canonica feriatur sententia.

a. Ps. 44 (43), 4

---

1. Tel est souvent le sens de *dioecesis.* Cf. É. GRIFFE, art. cité, p. 51. Le concile se tint en fait dans le diocèse d'Agen.

2. La lecture de MAASSEN, reprise par DE CLERCQ : *cum prouinciales* a été comprise par les commentateurs récents au sens de *cum prouincialibus,* et ils en ont conclu qu'il s'agissait de la présence des grands laïques de la province (HEFELE-LECLERQ, III[1], p. 299 ; DE

CONCILE
DE GARNOMUM, OU DE BORDEAUX
662-675

ICI COMMENCENT
LES CANONS DE BORDEAUX

Au nom de la sainte Trinité. Comme, récemment, nous nous étions réunis dans la province[1] de Bordeaux, au *castrum* de *Garnomum,* sur la Garonne, d'après l'ordre du glorieux prince le roi Childéric, et que là, nous, évêques de la province d'Aquitaine[2], étions rassemblés en l'église de saint Pierre apôtre, dans l'intérêt du bon ordre de l'Église et de la stabilité du royaume, nous avons constaté de nombreuses transgressions vis-à-vis des statuts des Pères et de l'autorité des canons, du fait que les clercs méprisent avec impudence leurs évêques, portent l'habit séculier et, ce qui est pire, commettent, plus encore que les séculiers, divers manquements. Aussi a-t-il été décrété là, conformément aux statuts des Pères :

1. Que les clercs doivent scrupuleusement porter l'habit qui leur a été attribué, et qu'ils ne doivent avoir ou porter ni lances, ni autres armes, ni vêtements séculiers. Mais, selon qu'il est écrit : « Ce n'est pas leur glaive qui leur donnera la terre, ni leur bras qui les libérera, mais bien ta droite et ton bras et l'éclat de ta face[a] », il a été statué que quiconque, après ce décret, se permettrait de faire ainsi ou de le tenter, serait frappé de la sentence canonique[3].

CLERCQ, p. 312, et *Législation,* p. 70 ; O. PONTAL, p. 230). MAASSEN lui-même (index, p. 277), comme déjà Baluze et Pardessus, pense avec beaucoup plus de raison aux *comprouinciales,* c'est-à-dire aux évêques d'Aquitaine eux-mêmes.

3. Voir le c. 5 du concile de Mâcon I.

2. Similiter presbyteri, diaconi aut quicumque ex clero seculari mundeburdo, uel familiare est, nisi cum conuenientia episcopi, cum caritatem, dilectionem, absque contumatia episcopi ausus fuerit ordine temerario habere, simili sententia subiaceat.

3. De subintroductis uero mulieribus episcopus aut aba aut quicumque ex ordine sacro contra antiqua patrum statuta, nisi quod continent canones, uel in deinceps habere praesumserit, ipsa canonica sententia iudicetur.

4. Episcopi uero, qui, ut scriptum est, quasi caput aecclesiae praeminent[b] et, ut beatus Hieronimus scripsit, sicut apostoli esse debeant, formam talem aecclesiis ostendant, ut ipsi diligant clero et ipsi diligantur a clero et formam sint fidelium concessum habitum, conuersatione, in uerbo, in obedire ; in omni modoque eo, quod seculare est, omnibus postposito teneant religionem ; et, sicut dicit apostolus, ueram talem formam et religionem teneant, ut et stabilitas regni per eos debeat stare et salus populi, sicut decet, per eos debeat Domino auxiliante durare[c]. Et si contra ordine canonico aliquid adtemtare praesumserint, cannonica sententia se nouerint esse cohercendos.

Vnde mediante uiro inlustri Lupone duce per iussionem supra fati gloriosi principis Childerici haec omnia, que superius abentur inserta, in omnibus conseruari conuenit. Quod si quis inmemor, quae superius conpraeensa sunt,

b. Cf. Éphés. 5, 20 (où il s'agit du Christ) ?
c. Cf. I Pierre 5, 3 ; etc.

---

1. Texte difficile, cité notamment par Niermeyer au mot *mundiburdis*.

2. *Subintroducta :* décalque du grec *suneisaktos* dans la traduction, par Denys le Petit, du c. 3 du concile de Nicée.

3. Voir le c. 1 du concile de Mâcon I et le c. 3 du concile de Chalon.

2. Pareillement, que le prêtre, le diacre, ou tout autre clerc qui ose, de façon téméraire, se mettre sous une protection ou dépendance laïque, à moins que ce ne soit avec l'accord de l'évêque, dans la communion et la charité, sans obstination envers l'évêque, soit soumis à la même peine [1].

3. Si un évêque, un abbé, ou tout autre clerc dans les ordres sacrés se permet dorénavant, contrairement aux anciens statuts des Pères, d'avoir chez lui une femme subrepticement introduite (*subintroducta*) [2], autre que celles qu'énumèrent les canons, qu'il soit jugé selon la même sentence canonique [3].

4. Que les évêques, qui, comme il est écrit, dominent l'Église comme une tête[b], et qui, comme l'a écrit saint Jérôme, doivent être pareils aux apôtres [4], donnent aux églises un exemple tel, qu'ils aiment leur clergé et soient aimés de leur clergé, et qu'ils soient un exemple pour les fidèles par l'habit qui est le leur, leur conduite, leur parole, leur obéissance ; que de toute manière ils fassent passer après tout le reste les choses du siècle et s'attachent à la religion, et que, comme le dit l'apôtre, ils pratiquent si authentiquement l'exemple de la religion, que, grâce à eux, à la fois la stabilité du royaume puisse être assurée et le salut du peuple se poursuivre comme il convient, avec le secours de Dieu[c]. Et s'ils se permettaient de tenter quoi que ce soit de contraire à la règle canonique, qu'ils sachent qu'ils seront corrigés par une sentence canonique.

Ainsi, sur l'intervention de l'illustre Loup, duc, par le commandement du susdit glorieux prince Childéric, tout ce qui se trouve consigné ci-dessus doit être observé en tout point. Si quelqu'un, oublieux de ce qui est contenu

---

4. Cf. JÉRÔME, *Ep.* 41, 3, 2 ; 58, 5, 2.

contemptor fuerit senodali concilio, canonica se nouerit
incurrere sententia. Abbates uero uel monachi sub religionem sanctorum patrum in omnibus conuersari debeant.

Adus metropolitanus Bituricensis urbis episcopus.
Iohannes metropolitanus Burgdigalensis urbis episco-
pus.
Scupilio metropolitanus Elosane urbis episcopus.
Ermenomaris Petrogoris urbis episcopus.
Leutadus Auxiensis urbis episcopus.
Saluius Benarnensis urbis episcopus.
Gundulfus Pasatensis urbis episcopus.
Vrsus Vicoiuliensis urbis episcopus.
Agnebertus Sanctonis urbis episcopus.
Bosolenus Lactorinsis urbis episcopus.
Sesemundus Coseramnis urbis episcopus.
Artemon Ellerona urbis episcopus.
Tomianus Aequilesiminus urbis episcopus.
Maurolenus Coserannus urbis episcopus.
Beto Caturcino urbis episcopus.
Siboaldus Agennis urbis episcopus.
Iohannes abba missus Lemouicine urbis episcopi.
Onoaldus abba missus Albige urbis episcopi.

1. Un autre évêque est donné plus haut comme étant celui de
Couserans. Mgr DUCHESNE (*Fastes*, II, p. 98-99) suppose que l'un des

ci-dessus, venait à mépriser l'assemblée synodale, qu'il sache qu'il encourt la sentence canonique. Quant aux abbés et aux moines, ils doivent se conduire en tout point d'après la règle des saints Pères.

Adus, évêque métropolitain de la ville de Bourges.
Jean, évêque métropolitain de la ville de Bordeaux.
Scupilio, évêque métropolitain de la ville d'Eauze.
Ermenomaris, évêque de la ville de Périgueux.
Leutadus, évêque de la ville d'Auch.
Salvius, évêque de la ville du Béarn.
Gundulfus, évêque de la ville de Bazas.
Ursus, évêque de la ville d'Aire.
Agnebertus, évêque de la ville de Saintes.
Bosolenus, évêque de la ville de Lectoure.
Sesemundus, évêque de la ville de Couserans.
Artemon, évêque de la ville d'Oloron.
Tomianus, évêque de la ville d'Angoulême.
Maurolenus, évêque de la ville de Couserans [1].
Beto, évêque de la ville de Cahors.
Siboaldus, évêque de la ville d'Agen.
Jean, abbé, envoyé de l'évêque de la ville de Limoges.
Onoaldus, abbé, envoyé de l'évêque de la ville d'Albi.

---

deux était en réalité évêque de Comminges, également dans la province d'Eauze. Déjà l'édition BALUZE-PARDESSUS donne : *Sesemundus, Conuenarum... Maurolenus, Coseranensis...*

CONCILE DE LOSNE [1]
(673-675)

Réuni comme celui de Bordeaux par ordre de Childéric II, ce concile eut lieu en présence du roi [2]. La liste des souscriptions épiscopales n'ayant pas été conservée, on ignore le nombre des participants. C'est le dernier grand concile mérovingien. Après la mort de Childéric II, la lutte entre l'Austrasie et la Neustrie se fit plus violente que jamais. L'Aquitaine prit son indépendance. On assiste à la décadence de la royauté et à celle de l'Église mérovingienne.

TRANSMISSION : Le concile n'est connu que par le manuscrit d'Albi (*Albi 147*, f. 182). Il a été publié pour la première fois en 1867 par MAASSEN [3].

2. Donc après 673, date à laquelle Childéric II s'était fait proclamer *tion,* p. 70-72.
2. Donc après 673, date à laquelle Childéric II s'était fait proclamer roi de Neustrie et de Bourgogne, et avant sa mort en 675.
3. Voir *supra*, p. 567 et n. 4, ce qui a été dit à propos du concile de Bordeaux.

CONCILIVM LATVNENSE
673-675.

CANON < ES > LATVNENSES

Dum auspice Domino, qui suis dixit discipulis : « Vbi fuerint duo uel tres congregati in nomine meo, ego sum in medio eorum[a] », et ortodoxorum trecentorum decem et octo episcoporum repleuit corda, ut sanctae aecclesie stabilitate firmarent atque mandatis diuinis instituerent, nos Latina in praesentia gloriosissimi principis nostri domni Childerici regis congregati eramus, praecepit, ut, quod sanctisimi patres quinque principalibus synodis congregati pro statui sanctae aeclesie seu fidei firmitate roborandam ipsi definierunt atque sanxerunt uel nostre memoriae ad erudiendam cunctam fidelium multitudinem reliquerunt, nobis quoque stabilire atque conseruare in omnibus firma stabilitate per succidua tempora conueniat. Hoc namque specialius ad religionem nostram pertinet :

1. Vt episcopi postposita et abiecta secularia sub sanctae conuersationis studio canonice uiuant.

2. Vt nullus episcoporum seu clericorum arma more seculario ferre praesumat.

a. Matth. 18, 20

---

1. Référence au concile de Nicée (325). Le nombre traditionnel de 318 Pères est celui des serviteurs d'Abraham en *Gen.* 14, 14.

2. *Latona,* ou *Latuna* (déformé en *Latina,* mais le titre dit *latunenses*), plusieurs fois nommé par la chronique de FRÉDÉGAIRE (IV, 58.90) et d'autres sources mérovingiennes, était un *vicus* établi sur plusieurs bras de la Saône à la limite des diocèses de Chalon, Langres et Besançon. Actuellement Saint-Jean de Losne, sur la rive droite, et

CONCILE DE LOSNE
673-675

CANONS DE LOSNE

Tandis que, par la faveur du Seigneur — qui a dit à ses disciples : « Là où deux ou trois sont réunis en mon nom, je suis au milieu d'eux[a] », et qui a rempli le cœur des trois-cent-dix-huit évêques orthodoxes pour qu'ils affermissent la stabilité de la sainte Église et l'instruisent des commandements divins[1] —, nous nous trouvions réunis à Losne[2] en présence de notre très glorieux prince et seigneur le roi Childéric, celui-ci a prescrit — touchant ce que les très saints Pères réunis dans les cinq principaux conciles[3] ont défini et décidé pour confirmer l'établissement de la sainte Église et la fermeté de la foi et ont transmis à notre mémoire pour l'instruction de toute la multitude des fidèles — que nous ayons nous aussi à assurer et à maintenir tout cela avec une ferme assurance pour les temps à venir. Voici donc ce qui intéresse plus spécialement notre conduite religieuse :

1. Que les évêques, abandonnant et rejetant les affaires du siècle, vivent selon les canons, avec le souci d'une conduite sainte.

2. Qu'aucun des évêques ni des clercs ne se permette de porter des armes à la manière des laïques[4].

Losne (où s'élevait l'abbaye Notre-Dame), sur la rive gauche, sont tous deux dans la Côte d'Or (arrondissement de Beaune). Cf. J. MARILIER, « Les privilèges épiscopaux de l'église de Losne (Côte d'or) », *Mémoires de la Société pour l'histoire du droit et des institutions des anciens pays bourguignons, comtois et romands* 24 (1963), p. 247-288.

3. Les 5 premiers conciles œcuméniques.

4. Voir le c. 1 du concile de Bordeaux.

3. Vt nullus episcopus causas perferat nisi per aduo-
catum, ne, dum causarum tumultus nititur exercere, a
fomitem iracundiae semet ipsum uideatur erigere.

4. Mulierem sane aliam nisi iuxta scripturarum patrum
instituta nullus clericorum in propria domum abere praesumat.

5. Vt etas legitima et electio, populi tam consensus ad
episcopum instituendum iuxta canonica decreta expecte-
tur.

6. Vt duo episcopi in una ciuitate non sint nisi pere-
grinus.

7. Vt nullus clericum alterius absque literas episcopi
aut abatis sui praesumat recipere, nec monachi sine sacris
aut literas, ut diximus, per patrias uacare aut discurrere
praesumant.

8. Pascha uero uel natiuitatem Domini seu quinqua-
gesimae festissimos dies ad eorum ciuitates omnes episcopi tenere debeant, id autem tum tantum, nisi ordinatio
regis eum arcescere fecerit itinere.

9. Vt laici homines in seculare habitu constituti in
arcepresbiterii honore per parrochias non instituantur.

10. Episcopi, qui modo spiritualiter non uiuunt, ut
infra constitutum tempus se debeant cohercere uel emendare aut certe de oficio regradentur.

1. Voir le c. 3 du concile de Bordeaux et les conciles cités sous ce
canon.
2. Voir le c. 10 du concile de Chalon.
3. Voir le c. 4 du concile de Chalon, et les conciles cités sous ce
canon.
4. Voir le c. 14 du concile de Clichy.

3. Qu'aucun évêque ne plaide en justice, mais qu'il recoure à un avocat, de crainte que, tandis qu'il se mêle au fracas des procès, on ne le voie s'insurger sous la poussée de la colère.

4. Qu'aucun clerc ne se permette d'avoir dans sa maison une femme autre que celles fixées par les dispositions des textes des Pères[1].

5. Que, de même que l'âge légitime et l'élection, le consentement du peuple soit requis pour l'institution d'un évêque, conformément aux décrets canoniques[2].

6. Qu'il n'y ait pas deux évêques dans la même cité, à moins que l'un ne soit de passage[3].

7. Que personne ne se permette de recevoir le clerc de quelqu'un d'autre sans des lettres de son évêque[4] ou de son abbé, et que les moines non plus ne se permettent pas, comme nous l'avons déjà dit, de vagabonder et circuler de pays en pays sans lettres[5] ou certificats.

8. Que tous les évêques soient présents dans leurs cités aux jours très solennels de Pâques, de la Nativité du Seigneur ou de la Pentecôte, et cela seulement lorsqu'un ordre du roi ne les a pas appelés à se déplacer.

9. Que des laïques portant l'habit séculier ne soient pas, dans les paroisses, établis dans la charge d'archiprêtres[6].

10. Que les évêques qui à présent ne vivent pas en hommes spirituels aient à se corriger et amender dans le délai fixé ; sinon qu'ils soient dégradés de leur office.

---

5. *Sacra* désigne normalement des lettres royales ou pontificales : cf. NIERMEYER.

6. Voir le c. 21 du concile de Clichy.

11. Hoc specialius placuit adserendum, ut senodalis concilius medio mense Septembrio, quod euenit in anno quarto decimo regnante domno nostro Childerico rege, ubi iussum fuerit, celebretur.

12. Feminae sane, quae earum uiros amiserint et ad uiduitatem studio priscam consuetudinem atque ueste mutata permanere uoluerint, sub tuitionem principis habeantur. Certe si sacrum uelamen susceperint eligere, in monasterio recludantur.

13. Illas uero, quas Domini sacerdotes religioso ordine uiuere cognouerint, liceat eis in domibus earum caste pieque conuersare ; ut uero, si neglegentes de castitate earum extiterint, ad eas reuertentes in monasterio trudantur.

14. Priuilegia uero, que antiquitus uel moderno tempore monasteriis iuxta sanctorum patrum regulas uiuentibus indulta sunt, ut propria uiuant firmitate, per praesentem institutionem modis omnibus sanximus.

15. Vt episcopi, presbiteri uel diaconi uenationes more seculario exercere non praesumant. Quod si fecerint, priorum canonum institutis corrigantur.

16. Vt episcopi, iuxta quod canones monent, sucessorem sibi eligere non praesumant, nisi ipse remotus et exutus ab omnibus rebus aeclesiasticis fuerit.

---

1. Cette 14ᵉ année, qui commençait en 675, fut celle de la mort de Childéric II. Le concile prévu n'eut probablement pas lieu.

2. De Clercq (*Législation*, p. 71) parle ici des « privilèges d'autonomie dont jouissent certains monastères ».

11. Il a été jugé bon de notifier tout spécialement qu'une assemblée synodale se tiendrait à la mi-septembre de la 14ᵉ année du règne de notre seigneur le roi Childéric [1], au lieu qui sera prescrit.

12. Que les femmes qui ont perdu leur mari et qui décident de demeurer dans l'état de viduité, selon l'antique usage, en changeant de vêtement, soient sous la protection du prince. Et si elles choisissent de prendre le saint voile, qu'elles soient cloîtrées dans un monastère.

13. Pour celles dont les évêques du Seigneur savent qu'elles vivent d'une manière religieuse, qu'il leur soit permis de vivre dans leurs propres maisons avec chasteté et piété ; mais si elles se montrent peu soucieuses de la chasteté, qu'elles rentrent en elles-mêmes et soient enfermées dans un monastère.

14. Par la présente constitution nous confirmons en tout point les privilèges qui ont été autrefois ou de nos jours accordés aux monastères vivant selon les règles des saints Pères, afin d'assurer leur propre stabilité [2].

15. Que les évêques, les prêtres et les diacres ne se permettent pas de pratiquer la chasse, à la manière des laïques. S'ils le font, qu'ils soient corrigés suivant les règles des anciens canons.

16. Que les évêques, suivant l'avertissement des canons, ne se permettent pas de se choisir un successeur [3], sauf au cas où l'un d'eux se trouverait éloigné et déchargé de toutes les affaires de l'église.

3. Voir le c. 3 du concile de Paris V.

17. Episcopos uero seu abbates, qui propriis culpis notanter damnati sunt aut ab ecclesiis eorum sponte remoti sunt, nullo modo ad proprias aecclesias uel onores decreuimus reuertendos.

18. Hoc omnino decernimus atque sumopere instituimus, ut, quicumque episcopus ecclesie praeesse uidetur, omnibus dominicis diebus uel sollemnitatibus sanctis plebe sibi comissa praedicatione diuina adloquatur et sacrata intentione praeuigilet, ut gregem sibi comisso alimentis spiritalibus foueat[b].

19. Et quoniam ad sanctam sinodum in notitiam peruenit, quod, si monachi in monasterio enutriti uacando per diuersa loca discurrant, eos quidam in eorum comunione suscipiant, idcirco placuit conuenire, ut nullus monachum alterius sine comitatum abatis sui uel literas comendaticias suscipere praesumat.

20. Quod si quispiam post hanc definitionem temerare conauerit, placuit eum anno integro a communione suspendi.

21. Si quis episcopus in sinodo comonitus uenire neglexerit praecipue id, quod ad anc definitionem sanctis canonibus decernitur, eorum cannonum regulis coerceatur.

22. Si quis episcopus sucessorem sibi contra decreta canonum subrogauerit, ipse a proprio gradu decedat mutata uita contemtus. Constituimus uero, ut canonicae ministerium sibi comissum deuotae impleat.

b. Cf. I Pierre 5, 3 ; etc.

---

1. Voir le c. 1 du concile de Mâcon II.
2. Le mot *comitatus* est écrit ici pour *commeatus (comiatus)*.
3. Voir le c. 19 du concile d'Orléans I.
4. Ce canon, en réalité, ne fait qu'un avec le précédent.

17. Quant aux évêques ou aux abbés qui ont été formellement condamnés pour leurs fautes ou qui se sont volontairement retirés de leurs églises, nous avons décrété qu'ils ne doivent en aucune façon revenir à leurs églises et à leurs dignités.

18. Nous décrétons formellement et prescrivons absolument que tout évêque à la tête d'une église doit prêcher la parole divine, tous les dimanches et à toutes les saintes solennités, au peuple qui lui est confié, et qu'il doit veiller avec une religieuse attention à nourrir des aliments spirituels le troupeau qui lui est confié [b 1].

19. Et parce qu'il est venu à la connaissance du saint synode que, quand des moines formés dans un monastère vagabondent en parcourant divers lieux, certains les admettent à leur communion, il a paru bon de décider en conséquence que personne ne doit se permettre de recevoir le moine de quelqu'un d'autre sans le congé [2] de son abbé ou sans lettres de recommandation [3].

20. Si, cette décision étant prise, quelqu'un tentait de l'enfreindre, il a été décidé que celui-là serait privé de la communion une année entière [4].

21. Si un évêque, convoqué au concile, néglige de s'y rendre, étant donné surtout que cette obligation est fixée par les saints canons, qu'il soit puni suivant les dispositions de ces canons [5].

22. Si un évêque s'est substitué un successeur, contrairement aux décrets des canons, qu'il abandonne son rang et accepte ce changement de vie. Et nous avons décrété qu'il doit s'acquitter pieusement du ministère à lui confié selon les canons [6].

5. Voir le c. 20 du concile de Mâcon II.
6. Ce canon ne fait que reprendre, sous une forme un peu différente, la mesure déjà rappelée au c. 16.

CONCILE D'AUTUN [1]
(663-680) [2]

La *Vetus Gallica* et l'*Herovalliana*, qui lui fait des
emprunts, conservent quelques canons, qui auraient été
promulgués parmi d'autres, par saint Léger, évêque d'Autun (663-675) [3]. A l'exception du premier [4], tous
concernent la vie monastique.

DESTINÉE ULTÉRIEURE : La collection de Bonneval reproduit
par deux fois la fin du canon 10, chaque fois avec une attri-
bution erronée [5]. Les Décrets de Burchard de Worms et d'Yves
de Chartres recueillent le canon 5.

2. Dates proposées par MAASSEN, p. 220.
tion, p. 318-320.
2. Dates proposées par MAASSEN, p. 220.
3. Cf. MORDEK, p. 82.
4. La numérotation, qui souligne le caractère fragmentaire de la
collection conservée, est celle du ms. *Phillipps 1763.* Les autres mss
n'ont pas de numérotation.
5. *Statuimus atque decernimus... meritum cohercendus est :* cf. H.
MORDEK, « Die Rechtssammlung der Handschrift von Bonneval — ein
Werk der karolingischen Reform », *Deutsches Archiv* 24 (1968), p. 384
et 417.

CONCILIVM LEVDEGARII
EPISCOPI AVGVSTODVNENSIS
663-680.

CANONES AGVSTVDVNENSES

1. Si quis presbyter aut diaconus aut clericus symbolum, quod sancto inspirante Spiritu apostoli tradiderunt, et fidem sancti Athanasii presulis inreprehensibiliter non recensuerit, ab episcopo condempnetur.

Primus titulus hic est monasticae disciplinae : ut abbates uel monachi peculiare non habeant et monachi ab abbate uictum et uestitum consuetum accipiant.

5. Vt conpatres nullus eorum audeat habere.

6. Vt in ciuitatibus errare non inueniantur. Quod si causa utilitatis monasterii cum litteris abbatis sui ad archidiaconum ciuitatis scriptis dirigantur.

8. Vt abbati suo aut preposito sint oboedientes.

10. Vt nullus familiaritatem extranearum mulierum praesumat habere et, qui inuentus fuerit, seuerius corrigatur.

---

1. *Vetus Gallica* 1, 1.
2. *Vetus Gallica* 46, 7.
3. Figurant dans la *Vetus Gallica* 46, 10, ce canon est repris (et étendu aux moniales) par les Décrets de Burchard de Worms (VIII, 82) et d'Yves de Chartres (VII, 100). — L'interdiction faite aux moines d'être parrain est déjà formulée par le c. 25 du concile d'Auxerre (561-605), qui connaît le mot *commater* (*TLL* III, col. 1822). L'usage que fait le présent canon du mot *compater* est le premier connu (*TLL* III, col. 2024).

CONCILE DE LÉGER
ÉVÊQUE D'AUTUN
663-680

CANONS D'AUTUN

1. Si un prêtre, un diacre ou un clerc ne récite pas sans faute le symbole que les apôtres ont transmis sous l'inspiration du Saint Esprit, ainsi que la profession de foi du saint évêque Athanase, qu'il soit condamné par l'évêque [1].

Voici le premier titre relatif à la discipline monastique : que les abbés et les moines n'aient rien en propre, et que les moines reçoivent de l'abbé les aliments et les vêtements d'usage [2].

5. Qu'aucun d'entre-eux n'ait l'audace d'avoir des « compères » [3].

6. Qu'on ne les trouve pas circulant dans les villes. S'il y va de l'intérêt du monastère, qu'ils soient adressés à l'archidiacre de la cité avec des lettres de leur abbé [4].

8. Qu'ils soient obéissants à leur abbé ou à leur prévôt [5].

10. Qu'aucun ne se permette de montrer de la familiarité envers les femmes du dehors, et que celui qui serait trouvé dans ce cas soit sévèrement corrigé.

---

4. *Vetus Gallica* 46, 9.
5. *Vetus Gallica* 46, 8.

Vt mulieres in monasterio monachorum nullatenus ingrediantur.

Statuimus adque decernimus, ut nullus monachum alterius absque permissu sui abbatis praesumat retinere ; sed cum inuentus fuerit uagans, ad cellam propriam reuocetur ; ibi iuxta culpae meritum coercendus est.

15. De abbatibus uero uel monachis ita obseruare conuenit, ut, quicquid canonum ordo uel regula sancti Benedicti edocet, et implere et custodire in omnibus debeant. Si enim haec omnia fuerint legitime apud abbates uel monasteria conseruata, et numerus monachorum Deo propitio augebitur et mundus omnis per eorum orationes assiduas omnibus malis carebit contagiis. Sint monachi omnes omnino oboedientes, sint frugalitatis decore pollentes, in opere Dei feruentes, oratione instantes[a], in caritate perseuerantes, ne propter negligentiam aut inoboedientiam hosti circumeunti ac rugienti et quaerenti, quem deuoret[b], cibus efficiantur. Sit eis cor unum et anima una[c]. Nemo aliquid suum esse dicat[c] ; sint eis omnia communia[d] ; in commune laborent, hospitalitatis omnino sint receptores.

Quisquis autem haec a nobis Deo precipiente dictata in confirmationem regularem monachorum temptauerit aliqua transgressione cassare ; si abba est, anno uno ei conmunionis potestas suspendatur ; si praepositus, annis duobus ; si monachus, aut fustibus uerberetur aut a

a. Cf. Rom. 12, 12
b. Cf. I Pierre 5, 8
c. Cf. Act. 4, 32, cité *Reg. Bened.* 33, 6
d. Cf. Act. 2, 44

1. *Vetus Gallica* 46, 11. Le dernier alinéa figure dans la collection de Bonneval 12, 15 et 26, 33 (voir *supra,* p. 585, n. 5).

Que les femmes ne pénètrent absolument pas dans un monastère d'hommes.

Nous établissons que personne ne doit se permettre de retenir le moine de quelqu'un d'autre sans la permission de son abbé. Lorsqu'on en trouve un en train de vagabonder, qu'il soit ramené à son propre monastère, et là il doit être puni à la mesure de sa faute[1].

15. Pour les abbés et les moines, leur observance doit être telle qu'ils accomplissent et gardent en tout point ce qu'enseignent la loi canonique et la règle de saint Benoît. Si en effet le tout est régulièrement gardé de la part des abbés et des monastères, à la fois le nombre des moines croîtra avec l'aide de Dieu, et le monde entier sera préservé par leurs prières assidues de toutes les contagions mauvaises. Que tous les moines soient parfaitement obéissants, qu'ils soient embellis par leur frugalité, fervents à l'office divin[2], appliqués à la prière[a], persévérants dans la charité, de crainte que par la négligence ou la désobéissance ils ne deviennent une proie pour l'ennemi qui rôde et rugit et cherche qui dévorer[b]. Qu'ils n'aient qu'un cœur et qu'une âme[c]. Que personne ne dise sien quoi que ce soit[c] ; que toutes choses leur soient communes[d] ; qu'ils travaillent ensemble ; qu'ils soient tout à fait accueillants et hospitaliers.

Que quiconque tenterait de violer par quelque transgression ces dispositions que nous avons édictées par la volonté de Dieu pour confirmer la règle des moines, soit, s'il est abbé, privé de la communion durant un an ; s'il est prévôt, durant deux ans ; s'il est moine, qu'il soit ou bien fouetté, ou bien privé de la communion, de la table

---

2. *In opere Dei :* cf. *Reg. Bened.* 7, 63, etc.

communione et mensa et caritate annis tribus suspendatur. Iustum enim est, ut subripientia uitiorum semina
falce iustitiae resecentur, ne, dum simulatione continen-
tiae nutriuntur, ita siluescant, ut nec securibus excidantur.

1. On notera la rigueur croissante des peines au fur et à mesure
que l'on descend dans la hiérarchie monastique. Loin de tenir pour plus
grave la faute des dignitaires, le législateur traite plus durement les
simples moines.

et de la vie fraternelle durant trois ans[1]. Il est juste en
effet que les pousses subreptices des vices soient coupées
par la faux de la justice, de crainte que, nourries par un
semblant de régularité, elles ne deviennent une forêt qui
ne puisse être coupée même à la hâche[2].

2. *Vetus Gallica* 46, 12.

INDEX

I. — RÉFÉRENCES SCRIPTURAIRES

Les chiffres de droite renvoient aux pages de la présente édition ; en italique, ils indiquent des allusions.

II. — ÉVÊQUES AYANT PARTICIPÉ
AUX CONCILES

Le présent index recense les noms des évêques ayant participé aux conciles ici publiés ou s'y étant fait représenter. Il ne mentionne pas la présence de certains d'entre eux à d'autres conciles, notamment ceux de Marseille (533), Paris (552), Paris (573), Valence (583-585), Narbonne (589). On n'y trouve pas non plus les noms des évêques n'ayant participé qu'à d'autres conciles. Pour un recensement de toutes les mentions des évêques ayant participé à des conciles mérovingiens connus, on se reportera aux index de l'édition De Clercq (p. 353-374 et 412-420). On trouvera là aussi les noms des personnes autres que les évêques mentionnées dans les textes des conciles.

Évêque	Siège	Concile
Abraham	Nice	Paris 614
Abthonius	Angoulême	Orléans 549
Adelfius	Poitiers	Orléans 511
		Orléans 533 (repr.)
Aduolus :		
voir Auolus		
Adus	Bourges	Bordeaux 662-675
Aeoladius	Nevers	Lyon 567-570
Aetherius	Embrun	Chalon 647-653
Aetherius :		
voir Etherius		
Aggus	Périgueux	Paris 614
Agnebertus	Saintes	Bordeaux 662-675
Agrecius	Glandève	Mâcon 585
Agrecius	Troyes	Mâcon 585
Agrescius	Tournai	Orléans 549 (repr.)
(Agrestius)		
Agricius	Antibes	Arles 524 (repr.)
Agricola	Chalon	Orléans 538 (repr.)
		Orléans 541
		Orléans 549
		Lyon 567-570

Pappolus	Chartres	Mâcon 585
Pappolus (I)	Genève	Orléans 541 (repr.)
		Orléans 549 (repr.)
Pappolus (II)	Genève	Chalon 647-653
Pappus	Apt	Mâcon 581-583
		Mâcon 585
Passiuus	Séez	Orléans 533
		Orléans 538
		Orléans 541
		Orléans 549
Paternus	Avranches	Paris 556-573
Paulus	Die	Mâcon 585 (repr.)
Perpetuuus	Avranches	Orléans 533
		Orléans 538 (repr.)
		Orléans 541 (repr.)
Peter	Marseille	Paris 614
Petrunius	Vaison	Chalon 647-653
Petrus	Saintes	Orléans 511
Philippus	Vienne	Lyon 567-570
Pientus	Aix	Mâcon 585 (repr.)
Placidus	Mâcon	Orléans 538
		Orléans 541
		Orléans 549
Pologronius	Sisteron	Mâcon 585
Porcianus	Digne	Arles 524
		Carpentras 527
		Vaison 529
Potentissimus	Gap	Chalon 647-653
Praetextatus	Apt	Épaone 517
		Arles 524
		Orange 529
		Orléans 541
Praetextatus	Cavaillon	Orléans 549 (repr.)
		Arles 554
Praetextatus	Rouen	Tours 567
		Paris 556-573
		Mâcon 585
Praumatius	Autun	Épaone 517
Presidius	Comminges	Orléans 533
Principius	Le Mans	Orléans 511
Principius	?	Carpentras 527
		Orange 529

III. — DIOCÈSES DONT LES ÉVÊQUES ONT ÉTÉ PRÉSENTS OU REPRÉSENTÉS

(1er chiffre : nombre d'évêques ; 2e : nombre de conciles)

Province d'Arles : Arles 4, 8 ; Aix 3, 7 ; Antibes 6, 7 ; Apt 4, 10 ; Avignon 4 (5 ?), 9 (10 ?) ; Carpentras, Venasque 5, 9 ; Cavaillon 3, 8 ; Nice, Cimiez 3, 4 ; Digne 3, 7 ; Embrun 5, 9 ; Fréjus 4, 6 ; Gap 5, 11 ; Glandève 3, 4 ; Marseille 2 (3 ?), 2(3 ?) ; Orange 4, 9 (10 ?) ; Riez 5, 7 ; Saint-Paul-Trois-Châteaux 5 (6 ?), 9 (10 ?) ; Senez 3, 4 ; Sisteron 4, 6 ; Toulon 3, 9 ; Uzès 1, 2 ; Vaison 6, 9 ; Vence 3, 7.

Province de Besançon : Besançon 6, 9 ; Bâle 0, 0 ; Belley 4, 4 ; Lausanne, Avenches, Windisch 4, 6.

Province de Bordeaux : Bordeaux 5, 7 ; Agen 5, 5 ; Angoulême 6, 8 ; Périgueux 4, 5 ; Poitiers 4, 5 ; Saintes 6, 8.

Province de Bourges : Bourges 11, 13 ; Albi 3, 3 ; Cahors 7, 9 ; Clermont (*Arverna*) 3, 7 ; Javols 3, 4 ; Le Puy 0, 0 ; Limoges 3, 5 ; Rodez 3, 5 ; Toulouse 2, 2.

Province de Cologne : Cologne 2, 2 ; Tongres, Maestricht 2, 3.

Province d'Eauze : Eauze 6, 9 ; Aire (*Vicus Iulii*) 2 (3 ?), 2 (3 ?) ; Auch 5, 8 ; Bazas 4, 4 ; Béarn, Lescar 2 (3 ?), 2 (3 ?) ; Bigorre 2, 3 ; Comminges 4, 6 ; Couserans 3, 4 ; Dax 3, 4 ; Lectoure 2 (3 ?), 2 (3 ?) ; Oloron 2, 2.

Province de Lyon : Lyon 8, 11 ; Autun 8, 12 ; Chalon 5, 11 ; Langres 6, 11 ; Mâcon 4, 9.

Province de Mayence : Mayence 0, 0 ; Spire 1, 1 ; Strasbourg 1, 1 ; Worms 1, 1.

Province de Narbonne : Agde 1, 1 ; Lodève 1, 1 (seules présences ici, mais voir le concile wisigothique de Narbonne 589).

Province de Reims : Reims 3, 4 ; Amiens 4, 4 ; Beauvais 0, 0 ; Cambrai 1, 1 ; Châlons 3, 3 ; Laon 3, 3 ; Noyon, Vermandois 4, 4 ; Senlis 3, 4 ; Soissons 2, 3 ; Térouanne 0, 0 ; Tournai 1, 1.

Province de Rouen : Rouen 5, 9 ; Avranches 5, 8 ; Bayeux 5, 7 ; Coutances 3, 6 ; Évreux 5, 7 ; Lisieux 4 (5 ?), 6 (7 ?) ; Séez 3, 6.

Province de Sens : Sens 6, 8 ; Auxerre 5, 11 ; Chartres 8, 11 ; Meaux 2, 3 ; Nevers 6, 12 ; Orléans 7, 8 ; Paris 8, 11 ; Troyes 5, 5.

IV. — INDEX ANALYTIQUE

— interdictions : de participer à la justice du sang : Auxerre, 33, 34 ; de se marier : Lyon (583), 1 ; Orléans (533), 8 ; (538), 2 ; (549), 4 ; du commerce : Orléans (538), 30 ; du prêt à intérêt : Orléans (538), 30 ; de porter des armes : Losne, 2 ; Mâcon (581-583), 5 — relations avec des femmes : Bordeaux, 3 ; Chalon, 3 — rémunération : Carpentras, 1 — soumission à l'évêque : Clichy, 3 ; Paris (614), 5 — tenue extérieure : Bordeaux, 1 — violences contre un clerc : Mâcon (585), 16 — voir : Chasse ; Dégradation ; Déposition ; Privilège du for.

Clerici honorati : Orléans (538), 8.

Composition (volontaire) : Orléans (511), 1, 2.

Conciles : — juridiction ; Orléans (538), 22, 23, 24 ; (549), 17 ; Tours, 2 — périodicité : Mâcon (585), 20 — respect de leurs décisions par les évêques : Orléans (538), 36 ; (541), 38 ; (549) 24 — tenue : Clermont, 1.

Concile provincial : — annuel : Eauze (551), 7 ; Orléans (533), 1 ; (538), 1 ; (541), 3 ; (549), 23 — convocation : Losne, 11 ; deux fois par an : Tours, 7 — obligation de s'y rendre : Épaone, 1 ; Orléans (533), 1 ; (549), 18.

Conflit entre le roi Sigismond et l'épiscopat : Lyon (518-523), 1 (3).

Consécration des autels : Épaone, 26 (exige un autel de pierre) ; Orléans (538), 16.

Conuersio : — préparatoire aux ordres : Arles (524), 1, 2 ; Orléans (538), 6 ; (549), 9 — condition de pénitent : Orléans (538), 27 — vie monastique : Tours, 16.

Crismarium : Auxerre, 6.

Débiteur de fisc : Clichy, 8.

Défunt : Auxerre, 12.

Dégradation des clercs : Chalon, 3, 20 ; Mâcon (581-583), 11, 19 ; (585), 6, 19 ; Orléans (538), 4, 9, 30 ; (541), 17.

Déposition de clerc : Orléans (511), 7, 9 ; (538), 2, 8, 22 ; (545), 4.

Devin : Eauze (551), 3 ; Orléans (511), 30 ; (533), 20.

Diaconesse : Épaone, 21 ; Orléans (533), 17, 18.

Diacre : Auxerre, 13, 19, 20, 21, 41 ; Orléans (533), 8 ; Paris (614), 9 ; Vaison, 2.

Dimanche : — interdiction des travaux des champs : Chalon, 18 ; Mâcon (585), 1 ; Orléans (538), 31.

Dîmes : Mâcon (585), 5.

Discipline monastique : Auxerre, 26.

TABLEAU

LES CANONS CONCILIAIRES
DANS LES COLLECTIONS CANONIQUES

L'ordre suivi pour les diverses collections est celui dans lequel nous les avons envisagées dans l'ouvrage. Il n'est donc pas strictement chronologique.

	Orléans I (511)	Epaone (517)	Lyon I (518-523)	Arles IV (524)	Carpentras (527)	Orange II (529)	Vaison II (529)	Orléans II (533)	Clermont (535)	Orléans III (538)	Orléans IV (541)	Orléans V (549)
Corbie	+	+					+		+	0 depuis c. 14		+
Lyon	+ sauf c. 4, 5, 7, 10	+		+	+	+	+		+	+		+
Lorsch	+	0		+	+	+	+		+ sauf c. 1	+	+	+
Albi				+		c. 1 à 8	c. 1		c. 2, 7, 8, 14	+	+	0
Cologne	+ sauf c. 4, 5, 7	+	+	+	+	+	+			+	+	+
Saint-Maur	+ sauf c. 4, 5, 7, 10	+				+			+ sauf c. 8			+ sau c. 2
Reims	+ sauf c. 4, 5, 7	+	+	+	+	+	+			+	+	+
Pithou	+	+		+					+	+		
Diessen		+					+					
Saint-Amand	+	+		+	+	+	+	+		+	+	+
Vetus Gallica	22 canons		c. 4				c. 2		c. 3, 8, 12	21 canons		c. 1
Saint-Blaise	c. 16											
Quesnelliana aucta	0											
Epitome Hispanico	27 canons			c. 1, 2								+ sau c. 2
Hispana Isidoriana	+	13 canons		+								

+ : la collection a recueilli l'ensemble des canons du concile.
0 : quelques canons seuls figurent dans la collection.

(551)	Arles V (554)	Tours II (567)	Lyon II (567-570)	Paris III (556-573)	Mâcon I (581-583)	Lyon III (583)	Mâcon II (585)	Auxerre (561-605)	Paris V (614)	Clichy (626-627)	Chalon (647-653)	Bordeaux (662-675)	Losne (673-675)	Autun (663-680)
				+										
	+				+									
		+												
											+			
									+					
+									+	+				
		+		+	+		+	+			+			
	c. 2, 4, 5, 7		c. 2, 3, 5, 6		14 canons	c. 6	10 canons							c. 1, 5, 6, 8, 10, 15
				0										

	Orléans I (511)	Epaone (517)	Lyon I (518-523)	Arles IV (524)	Carpentras (527)	Orange II (529)	Vaison II (529)	Orléans II (533)	Clermont (535)	Orléans III (538)	Orléans IV (541)	Orléans V (549)
Hispana Juliana	+ sauf c. 4, 5, 7, 10	c. 4, 7, 12							c. 6,9	c. 13, 16, 23, 25, 33		
Hispana Toletana		0		+	+		+		+	+		+ sauf c. 2?
Hispana Vulgata	+	+		+	+		+		+	+		+
Hispana systématique	27 canons			c. 4						c. 35		
Herovalliana		0							0	0	0	0
Saint-Germain	0									0		
2ⁿᵈᵉ coll. de Freising	10 canons	11 canons					c. 2			c. 6, 23, 31		c. 1
Bonneval I	20 canons	22 canons	c. 4				c. 9, 10, 11, 21		c. 12	19 canons	11 canons	c. 1
Coll. en 4 livres	0	0								0		0
Bourgogne	10 canons	5 canons							+ sauf c. 14			
Beauvais	+	+		+	+	+	+	+		+	+	+
Faux Capitulaires	c. 19 et 22	0							c. 1, 5, 10, 14	8 canons		c. 3, 14,
Fausses Décrétales	27 canons									c. 35		
Décret de Burchard	c. 8	0		c. 1 et 3			c. 2 et 4		0	0	0	0
Tripartite (coll. A)	23 canons	c. 4		c. 3 et 4					c. 6	c. 24, 26, 33		
Décret d'Yves de Chartres	11 canons	5 canons		c. 1 et 3			c. 2 et 4		6 canons	7 canons	c. 6, 10, 30	c. 17?
Décret de Gratien	25 canons	4 canons		c. 3 et 4					c. 6 et 8	c. 7, 8, 16, 24, 26		c. 2, 17?

+ : la collection a recueilli l'ensemble des canons du concile.
0 : quelques canons seuls figurent dans la collection.

Eauze (551)	Arles V (554)	Tours II (567)	Lyon II (567-570)	Paris III (556-573)	Mâcon I (581-583)	Lyon III (583)	Mâcon II (585)	Auxerre (561-605)	Paris V (614)	Clichy (626-627)	Chalon (647-653)	Bordeaux (662-675)	Losne (673-675)	Autun (663-680)
	c. 4													
					0	0	0							0
	c. 4		c. 5, 6	c. 9, 13, 15, 16, 19			c. 1, 2, 4							
c. 2, 4, 5		c. 8, 16, 21, 27		c. 4 à 7	12 canons		c. 1 à 4, 10, 13							c. 10
		5 canons			5 canons	c. 5		+						
		+	+	+	+		+	+			+			
		c. 4, 16, 20, 25, 26, 27					c. 10, 19		c. 6, 11, 14, 15	c. 7 et 10				
		c. 4 et 27			c. 8, 16, 18		c. 4, 8, 9		c. 10, 12, 17, 26	c. 15				c. 5
					c. 18									
		c. 4 et 27	c. 6 et 8		c. 13, 16, 18		c. 4, 8, 9		c. 10, 12, 17, 25, 26	c. 15				c. 5
	c. 2			c. 6 et 8	c. 8, 16, 18				c. 10 et 25	c. 6 et 15				

ANNEXE

PARTICIPATION
AUX RÉUNIONS CONCILIAIRES

- ▨ nombre d'archevêques
- ⧖ nombre d'évêques
- ▨ nombre de représentants
- ■ total
- ▢ = 2 participants

Ne figurent sur ces tableaux ni les synodes diocésains d'Auxerre et d'Autun, ni le concile de Losne dont la liste des participants n'a pas été conservée.

I. - CONCILES PROVINCIAUX

Arles IV (524) — Carpentras (527) — Orange II (529) — Vaison II (529) — Eauze (551) — Arles V (554)

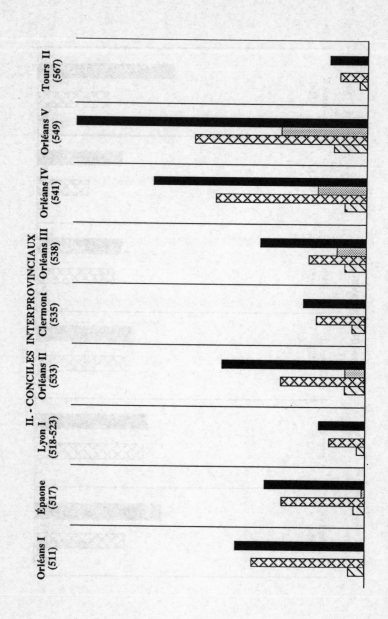

II. - CONCILES INTERPROVINCIAUX

Orléans I (511) — Épaone (517) — Lyon I (518-523) — Orléans II (533) — Clermont (535) — Orléans III (538) — Orléans IV (541) — Orléans V (549) — Tours II (567)

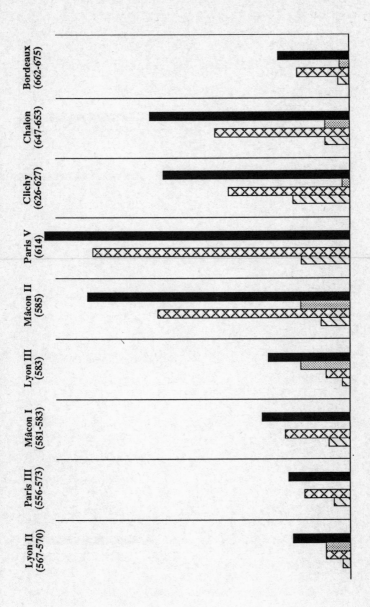

TABLE DES MATIÈRES

SOURCES CHRÉTIENNES

Fondateurs : *H. de Lubac, s.j.*
† J. Daniélou, s.j.
C. Mondésert, s.j.
Directeur : *D. Bertrand, s.j.*
Directeur-adjoint : *J.-N. Guinot*

Dans la liste qui suit, dite « liste alphabétique », tous les ouvrages sont rangés par nom d'auteur ancien, les numéros précisant pour chacun l'ordre de parution depuis le début de la collection. Pour une information plus complète, on peut se procurer deux autres listes au secrétariat de « Sources Chrétiennes » – 29, rue du Plat, 69002 Lyon (France) – Tél. : 78.37.27.08 :

1. la « liste numérique », qui présente les volumes et leurs auteurs actuels d'après les dates de publication ; elle indique les réimpressions et les ouvrages momentanément épuisés ou dont la réédition est préparée.
2. la « liste thématique », qui présente les volumes d'après les centres d'intérêt et les genres littéraires : exégèse, dogme, histoire, correspondance, apologétique, etc.

LISTE ALPHABÉTIQUE (1-354)

SOUS PRESSE

APHRAATE LE SAGE PERSAN : **Exposés.** Tome II. M.-J. Pierre.
BASILE DE CÉSARÉE : **Sur le baptême.** J. Ducatillon.
ÉVAGRE LE PONTIQUE : **Le Gnostique.** A. et C. Guillaumont.
NICOLAS CABASILAS : **La vie en Christ.** Tomes I et II. M.-H. Congourdeau.

PROCHAINES PUBLICATIONS

Les Apophtegmes des Pères. Tome I. J.-C. Guy.
BASILE DE CÉSARÉE : **Homélies morales.** Tome I. É. Rouillard, M.-L. Guillaumin.
BERNARD DE CLAIRVAUX : **Vie de Malachie, Éloge de la Nouvelle Milice.** P.-Y. Émery.
CÉSAIRE D'ARLES : **Œuvres monastiques.** Tome II : **Œuvres pour les moines.** J. Courreau, A. de Vogüé.
GRÉGOIRE DE NAZIANZE : **Discours 38-41.** P. Gallay, C. Moreschini.
GRÉGOIRE LE GRAND : **Lettres.** Tome I. P. Minard (†).
HERMIAS : **Moquerie des philosophes païens.** R.P.C. Hanson (†).
JEAN CHRYSOSTOME : **Sur Babylas.** M. Schatkin.

1. **Introduction générale. De opificio mundi,** R. Arnaldez (1961).
2. **Legum allegoriae,** C. Mondésert (1962).
3. **De cherubim.** J. Gorez (1963).
4. **De sacrificiis Abelis et Caini.** A. Méasson (1966).
5. **Quod deterius potiori insidiari soleat.** I. Feuer (1965).
6. **De posteritate Caini.** R. Arnaldez (1972).
7-8. **De gigantibus. Quod Deus sit immutabilis.** A. Mosès (1963).
9. **De agricultura.** J. Pouilloux (1961).
10. **De plantatione.** J. Pouilloux (1963).
11-12. **De ebrietate. De sobrietate.** J. Gorez (1962).
13. **De confusione linguarum.** J.-G. Kahn (1963).
14. **De migratione Abrahami.** J. Cazeaux (1965).
15. **Quis rerum divinarum heres sit.** M. Harl (1966).
16. **De congressu eruditionis gratia.** M. Alexandre (1967).
17. **De fuga et inventione.** E. Starobinski-Safran (1970).
18. **De mutatione nominum.** R. Arnaldez (1964).
19. **De somniis.** P. Savinel (1962).
20. **De Abrahamo.** J. Gorez (1966).
21. **De Iosepho.** J. Laporte (1964).
22. **De vita Mosis.** R. Arnaldez, C. Mondésert, J. Pouilloux, P. Savinel (1967).
23. **De Decalogo.** V. Nikiprowetzky (1965).
24. **De specialibus legibus.** Livres I-II. S. Daniel (1975).
25. **De specialibus legibus.** Livres III-IV. A. Mosès (1970).
26. **De virtutibus.** R. Arnaldez, A.-M. Vérilhac, M.-R. Servel et P. Delobre (1962).
27. **De praemiis et poenis. De exsecrationibus.** A. Beckaert (1961).
28. **Quod omnis probus liber sit.** M. Petit (1974).
29. **De vita contemplativa.** F. Daumas et P. Miquel (1964).
30. **De aeternitate mundi.** R. Arnaldez et J. Pouilloux (1969).
31. **In Flaccum.** A. Pelletier (1967).
32. **Legatio ad Caium.** A. Pelletier (1972)
33. **Quaestiones in Genesim et in Exodum. Fragmenta graeca.** F. Petit (1978).
34 A. **Quaestiones in Genesim,** I-II (e vers. armen). Ch. Mercier (1979).
34 B. **Quaestiones in Genesim,** III-VI (e vers. armen). Ch. Mercier et F. Petit (1984).
34 C. **Quaestiones in Exodum,** I-II (e vers. armen.) (en prép.).
35. **De providentia,** I-II. M. Hadas-Lebel (1973).
36. **Alexander (De animalibus).** A. Terian et J. Laporte (1988).
37. **Hypothetica.** M. Petit (en prép.).

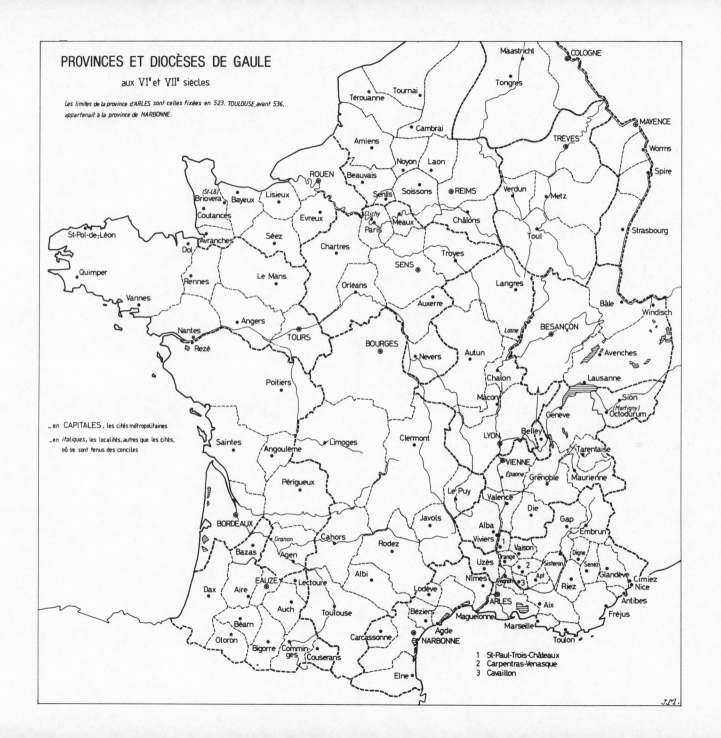

PROVINCES ET DIOCÈSES DE GAULE

aux VIᵉ et VIIᵉ siècles

Les limites de la province d'ARLES sont celles fixées en 523. TOULOUSE, avant 536, appartenait à la province de NARBONNE.

_ en CAPITALES, les cités métropolitaines

_ en *italiques*, les localités, autres que les cités, où se sont tenus des conciles

1 St-Paul-Trois-Châteaux
2 Carpentras-Venasque
3 Cavaillon